초등 **연산의 기준**

칸토의 연산

곱셈과 나눗셈

"초등 입학 후 우리 아이가 해야 할 수학은?"

우리 아이가 초등학교에 처음 입학할 때의 모습이 떠오릅니다. 머리도 혼자 감지 못하는 아이가 벌써 초등학생이 되어 많은 아이들과 교실에서 생활한다니 대견스러우면서도 한편으론 '아이가 40분 수업 시간 동안 집중하며 앉아 있을 수 있을까? 소변이라도 보면 어떻게 하지?' 등등 고민이 한가득이었지요.

기대 반 걱정 반으로 하루하루를 보내며 아이는 어느덧 별탈 없이 학교에 잘 적응하는 모습입니다. 걱정이 사라질 즈음 아이는 학교에서 생전 처음 단원 평가라는 시험을 보게 됩니다. 7살 때 100까지 막힘없이 세던 우리 아이라 당연히 100점을 맞았을 거라 생각했지만 아쉽게 한두 개 틀려 옵니다. '실수라고, 다음에 잘하겠지.'라고 넘겨 보지만 100점 맞기는 쉽지 않습니다. 혹시나 해서 "다른 친구들은 어떻게 봤니?"라고 물으면 "누구누구는 100점 맞았어!"라고 자기랑 상관없다는 듯이 무심코 하는 말에 마음이 무너집니다.

아차 싶어 이제부터 친구 엄마들에게 학원, 학습지 등 공부 정보를 수집하며 어떤 선택이 우리 아이에게 최선의 선택일지 갈등과 고민이 시작됩니다. 공부란 것을 제대로 해 보지 못했던 우리 아이는 자기랑 맞지 않는 공부를 부모의 계획에 따르며 어느 순간부터 부모와의 감정싸움이 시작됩니다. 부모님들이 초등 저학년에 많이 겪게 되는 고민거리입니다.

중학교에서 수학을 포기하는 아이들의 상당수가 초등 연산의 기초가 없어서라고 합니다. 자연수, 분수의 사칙연산을 어려워하는 아이들이 정수, 유리수의 사칙연산을 어려워하는 것은 당연합니다.

고등학교에서 수학을 포기하는 아이들의 상당수는 공부하는 습관이 몸에 배어 있지 않아서라고 합니다. 공부 계획을 세우고 공부하는 습관은 학교에서 따로 가르쳐주지 않습니다. 할 줄 아는 아이들만 공부 계획표를 꾸준히 작성하고 실천하지 나머지는 포기합니다. 단시간에 공부습관을 바로잡기는 시간이 너무 부족합니다.

그렇다면 우리 아이가 초등학생 때 해야 할 수학은 무엇일까요?

공부 습관과 수학에 대한 자신감을 기르는 것입니다. 그런데 이 둘은 모두 연산 학습으로 잡을 수 있습니다.

연산은 매일 꾸준히 지치지 않고 하는 것이 핵심입니다. 꾸준한 연산 학습은 연산 실력을 향상시킬 수 있을 뿐만 아니라 앞으로의 공부 습관과 태도를 형성할 수 있는 매우 중요한 학습 방법입니다. 처음에는 개념 위주로 연산의 정확도를 목표로 학습하고 꾸준히 연습하면 속도는 저절로 올라가니 처음부터 속도에 욕심내지 마세요. 그리고 연산 학습과 더불어 공부 시간을 10분, 20분, ……, 60분으로 늘려나가며 공부 체력을 길러 주세요.

연산을 잘하면 무엇이 좋을까요?

수업 시간에 대답도 잘하고 선생님께 칭찬을 받아 자신감이 올라갑니다. 또 아이는 잘하려는 마음이 생겨서 노력하게 되고 성취하게 되며 칭찬을 받게 되는 과정을 되풀이하여 결국 자신감을 넘어 자존감이 올라가게 됩니다.

또한 초등 저학년 수학 내용은 반 이상이 연산이라 연산을 잘하면 저학년 수학을 잘할 수 있습니다. 그리고 도형, 측정과 같은 다른 영역에서 넓이, 부피, 시간, 각도 등을 구할 때에도 연산이 중요하게 사용되므로 결국 수학을 잘한다는 것으로 이어집니다.

초등학교는 대학입시를 준비하는 단계가 아닙니다. 초반부터 무리하게 시작하는 것보다 아이에 맞게 공부 시간과 난이도를 조절해 보세요. 초등 공부 습관과 자신감은 중·고등 시기에 학업 성취를 높여 주는 발판이 될 것입니다. 나아가 하루하루 쌓여 끈기가 되고 인생을 살아가는 지혜가 될 것입니다.

"초등 6년 연산 학년별로 이것만은 꼭 알고 가요."

학년별로 성취해야 할 연산 내용을 미리 살펴보고, 부족한 부분을 정리해 보세요.

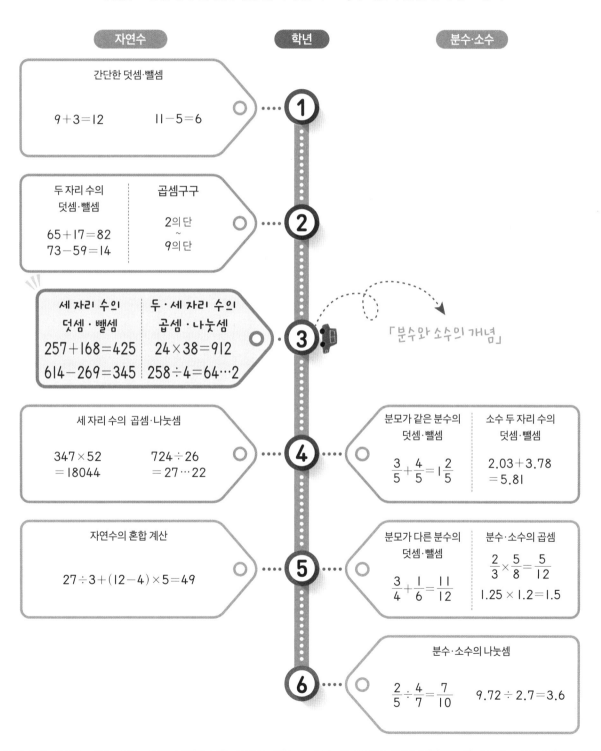

자연수 | **학년** | **분수·소수**

①

간단한 덧셈·뺄셈

$9+3=12$ $11-5=6$

②

두 자리 수의 덧셈·뺄셈

$65+17=82$
$73-59=14$

곱셈구구

2의 단
~
9의 단

③

「분수와 소수의 개념」

세 자리 수의 덧셈·뺄셈

$257+168=425$
$614-269=345$

두·세 자리 수의 곱셈·나눗셈

$24\times38=912$
$258\div4=64\cdots2$

④

세 자리 수의 곱셈·나눗셈

347×52
$=18044$

$724\div26$
$=27\cdots22$

분모가 같은 분수의 덧셈·뺄셈

$\dfrac{3}{5}+\dfrac{4}{5}=1\dfrac{2}{5}$

소수 두 자리 수의 덧셈·뺄셈

$2.03+3.78$
$=5.81$

⑤

자연수의 혼합 계산

$27\div3+(12-4)\times5=49$

분모가 다른 분수의 덧셈·뺄셈

$\dfrac{3}{4}+\dfrac{1}{6}=\dfrac{11}{12}$

분수·소수의 곱셈

$\dfrac{2}{3}\times\dfrac{5}{8}=\dfrac{5}{12}$

$1.25\times1.2=1.5$

⑥

분수·소수의 나눗셈

$\dfrac{2}{5}\div\dfrac{4}{7}=\dfrac{7}{10}$ $9.72\div2.7=3.6$

단계별 구성

칸토의 연산 시리즈

- 연산의 원리부터 재미있는 퍼즐형 문제까지 다루는 기본 난이도의 연산 교재
- 나선형 반복 학습과 확장 커리큘럼
- [칸토의 연산] ➡ [응용 연산]으로 이어지는 기본·심화 연산 학습 설계
- 단계별 4권, 9단계 총 36권 구성
- 한 단계 4개월 완성
- 학년별 교과서 진도와 맞춤 병행

이 책의
구성과 특징

- 하루 2쪽, 매주 5일씩 4주 동안 완성하는 연산 프로그램이에요.
- 연령별 아이의 학습 눈높이와 학습 체력에 맞게 쉬운 난이도와 하루 10분 정도의 학습 분량으로 구성하였어요.

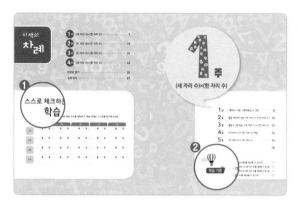

1 학습 안내 ⟩ 무엇을 공부할까요?

❶ 스스로 학습 진도를 계획하고 실천해 보세요.

❷ 이번 주에 꼭 알아야 할 학습 기준을 체크해요.
공부 전에 간단히 살펴보고, 한 주 공부가 끝나면 공부한 내용을 잘 알고 있는지 반드시 확인해 보세요.

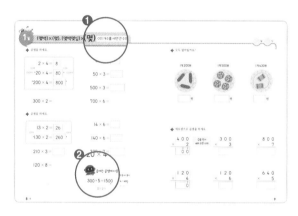

2 일일 학습 ⟩ 매주 5일씩 4주 동안 공부해요.

❶ 일일 학습 목표를 효율적으로 달성하기 위한 학습 목표 및 노하우를 담았어요. 무엇을 공부하는지 미리 알고 가는 공부는 목표 달성률이 훨씬 높답니다.

❷ 연산의 개념, 원리뿐만 아니라 궁금증을 해결할 수 있는 학습 노하우를 꼭 확인하세요.

3 확인 학습

이번 주 배운 내용을 잘 알고 있나요?

4 마무리 평가＋실력 평가

4주 동안 배운 내용을 잘 알고 있나요?

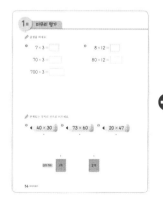 ➕

이 책의 차례

스스로 체크하는
학습 진도표

"일일 학습을 시작하기 전에 날짜를 기록하여 학습 진도를 계획하고, 학습 후에는 스스로를 평가해 보세요."

	1일		2일		3일		4일		5일	
	월	일	월	일	월	일	월	일	월	일
1주										
	월	일	월	일	월	일	월	일	월	일
2주										
	월	일	월	일	월	일	월	일	월	일
3주										
	월	일	월	일	월	일	월	일	월	일
4주										

1주

(세 자리 수)×(한 자리 수)

학습 기준

- (몇백)×(몇)과 (몇백몇십)×(몇)을 계산할 수 있나요? ☐

- 올림이 없거나 1번 있는 (세 자리 수)×(한 자리 수)를 계산할 수 있나요? ☐

- 올림이 2번, 3번 있는 (세 자리 수)×(한 자리 수)를 계산할 수 있나요? ☐

- (한 자리 수)×(두 자리 수)를 계산할 수 있나요? ☐

➕ 곱셈을 하세요.

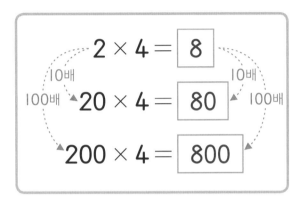

$5 \times 3 = \boxed{}$

$50 \times 3 = \boxed{}$

$500 \times 3 = \boxed{}$

$300 \times 2 =$

$700 \times 6 =$

➕ 곱셈을 하세요.

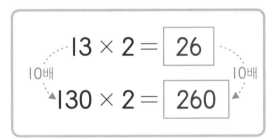

$14 \times 6 = \boxed{}$

$140 \times 6 = \boxed{}$

$210 \times 3 = \boxed{}$

$320 \times 7 = \boxed{}$

$120 \times 8 =$

$520 \times 4 =$

곱에는 곱셈에 사용된 0의 개수만큼 0이 붙어.

$$300 \times 5 = 1500 \qquad 120 \times 4 = 480$$

0이 2개 　　　　　 0이 1개

➕ 모두 얼마일까요?

1개 200원	1개 500원	1개 430원
	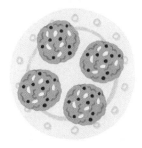	
☐ 원	☐ 원	☐ 원

➕ 세로셈으로 곱셈을 하세요.

```
    4 0 0
  ×     2        0을 먼저
  -------        내려 쓰면 쉬워.
      0 0
```

```
    3 0 0
  ×     3
  -------
```

```
    8 0 0
  ×     7
  -------
```

```
    1 2 0
  ×     4
  -------
        0
```

```
    1 2 0
  ×     6
  -------
```

```
    6 4 0
  ×     5
  -------
```

2일 올림 1번까지 있는 (세 자리 수)×(한 자리 수)

올림한 수는 한 자리 위로 올려 더해.

➕ 세로셈으로 곱셈을 하세요.

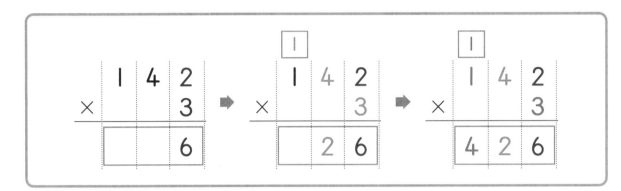

올림이 없는 곱셈

$$\begin{array}{r} 2\ 4\ 1 \\ \times\ \quad\ 2 \\ \hline \end{array}$$

> 올림 없는 곱셈은 곱을 바로 내려 쓰면 되니까 쉬워.

$$\begin{array}{r} 2\ 1\ 1 \\ \times\ \quad\ 4 \\ \hline \end{array}$$

$$\begin{array}{r} 1\ 2\ 3 \\ \times\ \quad\ 3 \\ \hline \end{array}$$

올림이 I번 있는 곱셈

$$\begin{array}{r} \square \\ 1\ 1\ 3 \\ \times\ \quad\ 5 \\ \hline \end{array}$$

$$\begin{array}{r} 6\ 2\ 1 \\ \times\ \quad\ 4 \\ \hline \end{array}$$

$$\begin{array}{r} \square \\ 1\ 3\ 1 \\ \times\ \quad\ 7 \\ \hline \end{array}$$

$$\begin{array}{r} 9\ 0\ 4 \\ \times\ \quad\ 2 \\ \hline \end{array}$$

$$\begin{array}{r} 3\ 2\ 8 \\ \times\ \quad\ 2 \\ \hline \end{array}$$

각 자리 수와의 곱은 각 자리부터 윗자리로 수를 써서 더해.

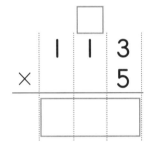

백 십 일
$$\begin{array}{r} 7\ \ 0\underset{③}{\overset{②}{\ }}2\overset{①}{} \\ \times\ \qquad\ 3 \\ \hline 6_{①} \\ 0_{②} \\ 2\ 1_{③} \\ \hline \end{array}$$

➕ 계산이 잘못된 부분을 찾아 ✕표 하고 바르게 고치세요.

천	백	십	일
3	0	6	
✕			3
9	0	1	8

천	백	십	일
5	2	1	
✕			4
	2	8	4

➕ 가로셈으로 곱셈을 하세요.

$374 \times 2 =$ ☐☐8

⬇

$374 \times 2 =$ ☐ 4 8

⬇

$374 \times 2 =$ 7 4 8

$634 \times 2 =$

$213 \times 4 =$ ☐☐☐

$312 \times 3 =$ ☐☐☐

$411 \times 8 =$ ☐☐☐

$152 \times 4 =$

올림 2, 3번 있는 (세 자리 수)×(한 자리 수)

어느 자리에서 올림이 있는지 잘 봐야 해.

➕ 곱셈을 하세요.

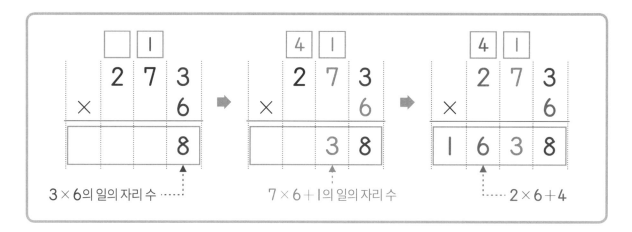

□	❘
2	7	3
×		6
		8

➡

4	❘
2	7	3
×		6
	3	8

➡

4	❘
2	7	3
×		6
1	6	3	8

3×6의 일의 자리 수 ┄┄┄

7×6+1의 일의 자리 수

┄┄┄ 2×6+4

□	□
1	3	8
×		5

□	
5	9	2
×		4

□	□
6	4	3
×		6

	□	
4	2	7
×		3

	□	
3	4	1
×		8

□	□
8	5	6
×		2

특히 덧셈 과정에서 받아올림이 있는
곱셈을 조심해.

7	1	4
×		9

5	9	8
×		3

	5	2	9
×			4
2	1	1	6

8+3의 일의 자리 수

➕ 가로셈으로 곱셈을 하세요.

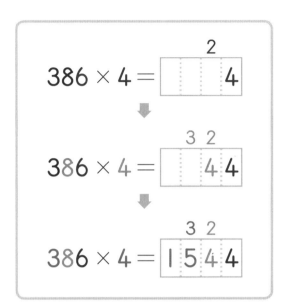

$$386 \times 4 = \boxed{4}$$

⬇

$$386 \times 4 = \boxed{44}$$

⬇

$$386 \times 4 = \boxed{1544}$$

$$122 \times 8 = \boxed{}$$

$$957 \times 3 = \boxed{}$$

$$764 \times 5 = \boxed{}$$

$$413 \times 6 =$$

$$846 \times 7 =$$

➕ 빈칸에 알맞은 수를 쓰세요.

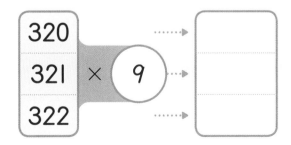

(세 자리 수)×(한 자리 수) 연습 이제 실수하지 말고 정확히 계산하자!

➕ 접시가 굴러간 곳을 찾아 세로셈으로 곱셈을 하세요.

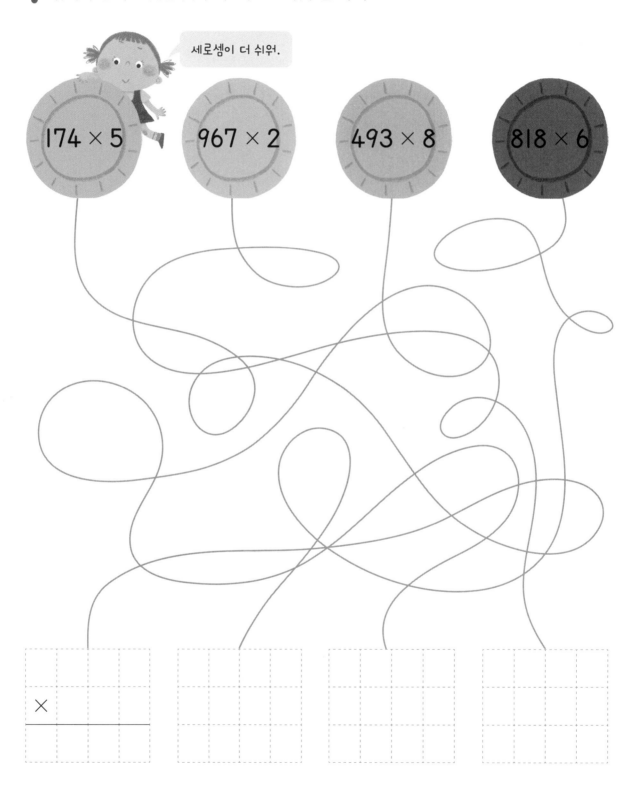

세로셈이 더 쉬워.

174 × 5

967 × 2

493 × 8

818 × 6

×

✚ ☐ 안에 알맞은 수를 쓰세요.

숨어~~

$$\begin{array}{r} 4\ 1\ \boxed{6} \\ \times\quad\ \ 2 \\ \hline 8\ 3\ 2 \end{array}$$

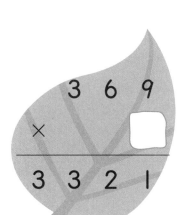

$$\begin{array}{r} 3\ 6\ 9 \\ \times\quad\ \boxed{9} \\ \hline 3\ 3\ 2\ 1 \end{array}$$

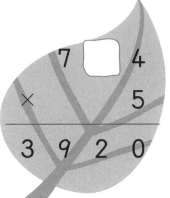

$$\begin{array}{r} 7\ \boxed{8}\ 4 \\ \times\quad\ \ 5 \\ \hline 3\ 9\ 2\ 0 \end{array}$$

얼마 먹었게?

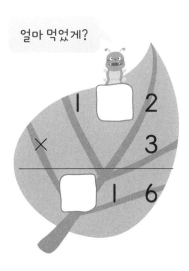

$$\begin{array}{r} 1\ \boxed{7}\ 2 \\ \times\quad\ \ 3 \\ \hline \boxed{5}\ 1\ 6 \end{array}$$

$$\begin{array}{r} \boxed{5}\ 3\ \boxed{2} \\ \times\quad\ \ 8 \\ \hline 4\ 2\ 5\ 6 \end{array}$$

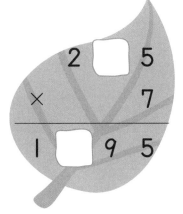

$$\begin{array}{r} 2\ \boxed{8}\ 5 \\ \times\quad\ \ 7 \\ \hline 1\ \boxed{9}\ 9\ 5 \end{array}$$

➕ 색칠된 모눈의 수를 이용하여 곱셈을 하세요.

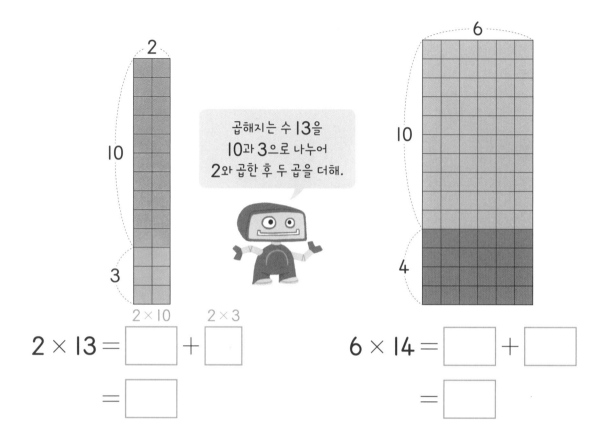

곱해지는 수 13을
10과 3으로 나누어
2와 곱한 후 두 곱을 더해.

$2 \times 13 = \boxed{} + \boxed{}$

$= \boxed{}$

$6 \times 14 = \boxed{} + \boxed{}$

$= \boxed{}$

➕ 가로셈으로 곱셈을 하세요.

$6 \times 43 = \boxed{ \vdots 8}$ ➡ $6 \times 43 = \boxed{2 \vdots 5 \vdots 8}$

$3 \times 59 = \boxed{ \vdots 2 \vdots }$

$2 \times 74 = \boxed{ \vdots \vdots }$

$5 \times 36 = \boxed{}$

$9 \times 12 = \boxed{}$

✚ 세로셈으로 곱셈을 하세요.

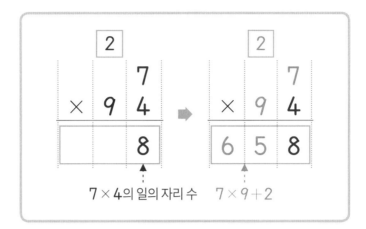

$$\boxed{2} \qquad \begin{array}{r} 7 \\ \times\ 9\ 4 \\ \hline 8 \end{array} \Rightarrow \boxed{2} \qquad \begin{array}{r} 7 \\ \times\ 9\ 4 \\ \hline 6\ 5\ 8 \end{array}$$

7×4의 일의 자리 수   7×9+2

$$\Box \qquad \begin{array}{r} 3 \\ \times\ 4\ 6 \\ \hline \end{array} \qquad \begin{array}{r} 2 \\ \times\ 3\ 4 \\ \hline \end{array} \qquad \Box \quad \begin{array}{r} 5 \\ \times\ 5\ 7 \\ \hline \end{array}$$

$$\begin{array}{r} 4 \\ \times\ 6\ 1 \\ \hline \end{array} \qquad \begin{array}{r} 7 \\ \times\ 1\ 2 \\ \hline \end{array} \qquad \begin{array}{r} 9 \\ \times\ 3\ 0 \\ \hline \end{array}$$

$$\begin{array}{r} 5 \\ \times\ 8\ 4 \\ \hline \end{array} \qquad \begin{array}{r} 8 \\ \times\ 7\ 6 \\ \hline \end{array}$$

곱셈의 순서가 바뀌어도 곱은 같아.

$$\begin{array}{r} 1\ 3 \\ \times\ \ \ 6 \\ \hline 7\ 8 \end{array} \qquad \begin{array}{r} 6 \\ \times\ 1\ 3 \\ \hline 7\ 8 \end{array}$$

✚ 곱셈을 하세요.

```
    4 3 0          2 0 5          8 9 3
  ×     6        ×     3        ×     4
```

```
    6 4 6              3              9
  ×     7        ×   1 6        ×   9 9
```

✚ 곱셈을 하세요.

$800 \times 6 =$ $124 \times 8 =$

$527 \times 2 =$ $6 \times 38 =$

✚ ☐ 안에 알맞은 수를 쓰세요.

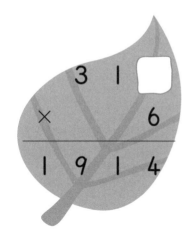

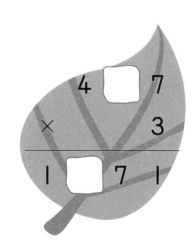

2주

(두 자리 수)×(두 자리 수)

학습 기준

• 몇십과 두 자리 수의 곱셈을 할 수 있나요? ☐

• (두 자리 수)×(두 자리 수)의 계산 원리를 이해할 수 있나요? ☐

• 올림이 없거나 1번 있는 (두 자리 수)×(두 자리 수)를 계산할 수 있나요? ☐

• 올림이 여러 번 있는 (두 자리 수)×(두 자리 수)를 계산할 수 있나요? ☐

몇십과 두 자리 수의 곱셈 곱에 0을 먼저 써넣은 다음 계산하면 쉬워.

➕ 곱셈을 하세요.

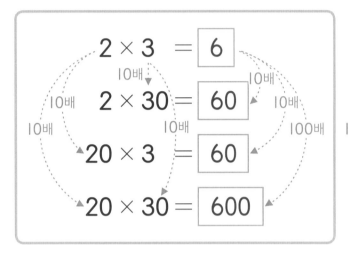

$2 \times 3 = \boxed{6}$

$2 \times 30 = \boxed{60}$

$20 \times 3 = \boxed{60}$

$20 \times 30 = \boxed{600}$

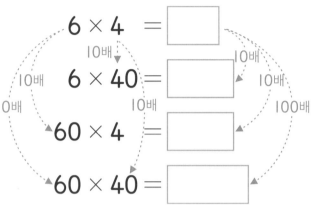

$6 \times 4 = \boxed{}$

$6 \times 40 = \boxed{}$

$60 \times 4 = \boxed{}$

$60 \times 40 = \boxed{}$

$70 \times 10 = \boxed{}$

$30 \times 90 =$

➕ 곱셈을 하세요.

$41 \times 2 = \boxed{82}$

$41 \times 20 = \boxed{820}$

$5 \times 19 = \boxed{}$

$50 \times 19 = \boxed{}$

$23 \times 30 = \boxed{}$

$40 \times 12 = \boxed{}$

$85 \times 70 =$

$60 \times 47 =$

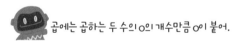

곱에는 곱하는 두 수의 0의 개수만큼 0이 붙어.

$12 \times 40 = 480$ $10 \times 40 = 400$
　　　0이 1개　　　　　　　0이 2개

곱에 내가 몇 개 생겨?

➕ 관계있는 것끼리 선으로 이으세요.

0의 개수

23 × 30   ·   · 1개 ·   · 20 × 40

80 × 60   ·   · 2개 ·   · 47 × 60

➕ 세로셈으로 곱셈을 하세요.

```
    4 0
  × 3 0
  ─────
    0 0
```

0을 2개 써넣고
4×3을 계산해.

```
    4 0
  × 2 0
  ─────
```

```
    5 0
  × 8 0
  ─────
```

조심해! 0이
또 있을 수 있어.

```
    3 0
  × 2 1
  ─────
      0
```

0을 1개 써넣고
3×21을 계산해.

```
    8 0
  × 3 6
  ─────
```

```
    7 0
  × 5 4
  ─────
```

➕ 모눈의 개수를 곱셈을 이용하여 구하세요.

$21 \times 13 = \boxed{}$

$21 \times 10 = \boxed{}$

$21 \times 3 = \boxed{}$

$+$

곱하는 수 13을
10과 3으로 나누어 21에
곱한 후 두 곱을 더해.

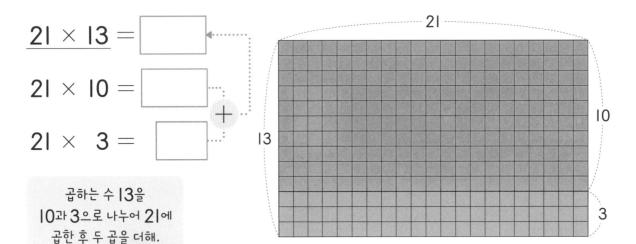

$16 \times 15 = \boxed{}$

$16 \times 10 = \boxed{}$

$16 \times 5 = \boxed{}$

$+$

15를 10과 5로 나누어
16에 곱한 후 서로 더해.

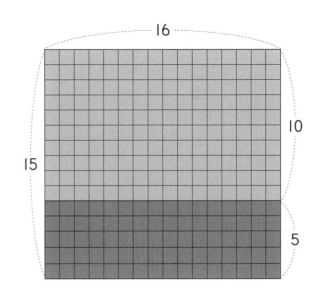

✛ 빈칸에 알맞은 수를 써넣어 곱셈을 하세요.

$14 \times 12 =$ ☐

$14 \times 10 =$ ☐

$14 \times 2 =$ ☐

　　　　　+

$12 \times 16 =$ ☐

$12 \times 10 =$ ☐

$12 \times 6 =$ ☐

　　　　　+

각 자리별로
나누어 곱한 다음
두 곱을 더하면 돼.

$24 \times 21 =$ ☐

$24 \times 20 =$ ☐

$24 \times 1 =$ ☐

　　　　　+

$31 \times 14 =$ ☐

$31 \times 10 =$ ☐

$31 \times 4 =$ ☐

　　　　　+

✛ 빈칸에 알맞은 수를 쓰세요.

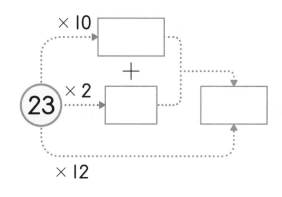

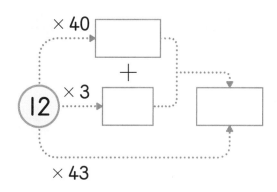

23

✚ 올림이 없는 두 자리 수의 곱셈을 하세요.

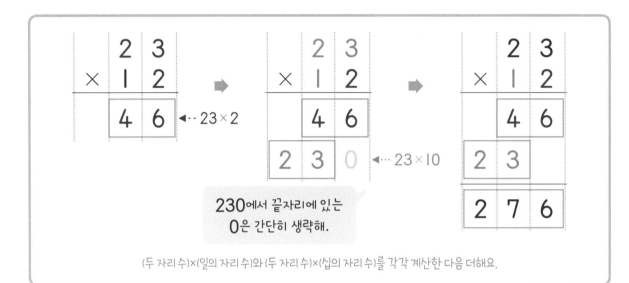

230에서 끝자리에 있는 0은 간단히 생략해.

(두 자리 수)×(일의 자리 수)와 (두 자리 수)×(십의 자리 수)를 각각 계산한 다음 더해요.

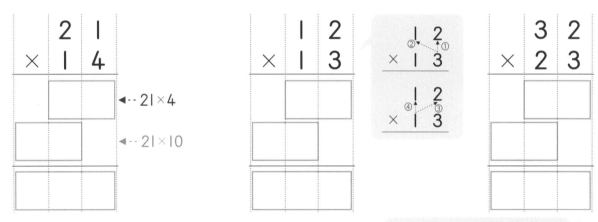

◀-- 21×4

◀-- 21×10

곱을 구한 다음 더하는 과정에서 받아올림이 있을 수 있어.

$$\begin{array}{r} 4\ 5 \\ \times\ 1\ 1 \\ \hline \end{array}$$

$$\begin{array}{r} 2\ 3 \\ \times\ 3\ 1 \\ \hline \end{array}$$

$$\begin{array}{r} 4\ 4 \\ \times\ 1\ 2 \\ \hline \end{array}$$

➕ 올림이 1번 있는 두 자리 수의 곱셈을 하세요.

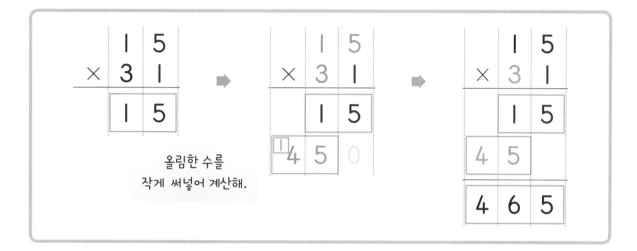

```
      1  4              2  3              3  1
  ×   2  5          ×   4  2          ×   6  3
 ┌─────────┐                         
 │  □      │ ◄-- 14×5              
 └─────────┘         ┌──────┐       
 ┌─────────┐         │ □    │       
 │         │  0 ◄-- 14×20
 └─────────┘         
 ┌─────────┐         ┌──────┐        ┌──────┐
 │         │         │      │        │      │
 └─────────┘         └──────┘        └──────┘
```

올림한 수를
작게 써서 계산해.

```
    3  8              5  4              4  2
×   1  2          ×   1  2          ×   2  4
```

4_일 올림 여러 번 있는 (두 자리 수)×(두 자리 수)

올림이 어디에 있는지 주의해야 해.

➕ 올림이 여러 번 있는 두 자리 수의 곱셈을 하세요.

```
      6 3
  ×   8 4
  ─────────
  2 ①5 2   ◀--63×4
  5 ②0 4 0  ◀--63×80
  ─────────
  5 2 9 2
```
0은 생략해.

```
      4 8
  ×   9 2
  ─────────
      □
  □
  ─────────
```

```
      3 7
  ×   2 6
  ─────────
      □
  □
  ─────────
```

올림한 수를 마지막에 더하면 안 돼!

```
      3 9
  ×   5 3
  ─────────
      □
    □
  ─────────
```

```
      5 4
  ×   4 2
  ─────────

    □
  ─────────
```

```
      8 9
  ×   5 7
  ─────────
      □
    □
  ─────────
```

```
      2 5
  ×   6 3
  ─────────

  ─────────
```

```
      7 6
  ×   7 9
  ─────────

  ─────────
```

올림한 수를 작게 써서 계산해 봐.

➕ 곱셈을 하세요.

올림한 수는 헷갈리지 않게
작고 흐리게 써서 계산해.

```
    3 4
  × 3 5
```

```
    4 6
  × 6 9
```

```
    5 3
  × 1 7
```

```
    7 5
  × 6 4
```

```
    2 9
  × 9 8
```

십의 자리 수와의 곱은
일의 자리에 쓰면 안 돼!

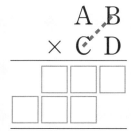

➕ 선으로 이어진 두 수의 곱을 쓸 수 있는 자리(□)를 찾아 색칠하세요.

```
  A B
× C D
```

```
  A B
× C D
```

```
  A B
× C D
```

```
  A B
× C D
```

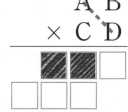

(십의 자리의 수) × (일의 자리의 수)는
십의 자리부터 백의 자리까지 답을 써.

27

(두 자리 수)×(두 자리 수) 연습 가로셈을 세로셈으로 바꾸어 계산하면 쉬워.

➕ 같은 그림자에 있는 두 수의 곱을 세로셈으로 구하세요.

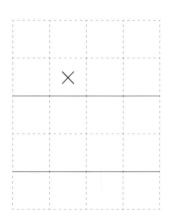

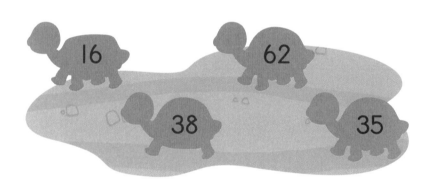

상자에서 곱을 찾아 가로 또는 세로로 색칠하세요.

32 × 56

2	1	1	3
1	7	8	2
5	9	8	6
1	2	2	4

15 × 43

1	6	6	0
2	5	3	5
7	2	5	4
6	4	5	8

첫째 가로줄에는
2113이 있어.

30 × 84

4	2	1	2
2	5	4	5
6	3	8	2
2	0	2	0

61 × 72

8	4	5	1
2	3	9	6
4	3	9	2
4	2	7	3

94 × 54

4	4	5	6
5	0	7	6
3	7	1	2
4	6	6	5

🔧 곱셈을 하세요.

$40 \times 20 =$

$30 \times 41 =$

$$\begin{array}{r} 5\ 0 \\ \times\ 4\ 0 \\ \hline \end{array}$$

$$\begin{array}{r} 4\ 0 \\ \times\ 8\ 3 \\ \hline \end{array}$$

🔧 곱셈을 하세요.

$$\begin{array}{r} 2\ 3 \\ \times\ 4\ 2 \\ \hline \end{array}$$

$$\begin{array}{r} 3\ 7 \\ \times\ 9\ 6 \\ \hline \end{array}$$

$$\begin{array}{r} 8\ 4 \\ \times\ 3\ 7 \\ \hline \end{array}$$

🔧 바르게 계산하세요.

$$\begin{array}{r} 5\ 1 \\ \times\ 3\ 8 \\ \hline 4\ 8 \\ 1\ 5\ 3 \\ \hline 1\ 5\ 7\ 8 \end{array}$$

➡

$$\begin{array}{r} 5\ 1 \\ \times\ 3\ 8 \\ \hline \end{array}$$

3주

(두 자리 수)÷(한 자리 수)

학습 기준

• 내림이 없고 나머지가 없는 (두 자리 수)÷(한 자리 수)를 계산할 수 있나요? ☐

• 내림이 있고 나머지가 없는 (두 자리 수)÷(한 자리 수)를 계산할 수 있나요? ☐

• 내림이 없고 나머지가 있는 (두 자리 수)÷(한 자리 수)를 계산할 수 있나요? ☐

• 내림이 있고 나머지가 있는 (두 자리 수)÷(한 자리 수)를 계산할 수 있나요? ☐

➕ 동전을 보고 나눗셈을 하세요.

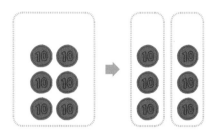

$60 \div 2 =$ ⬚

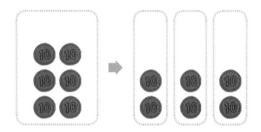

$60 \div 3 =$ ⬚

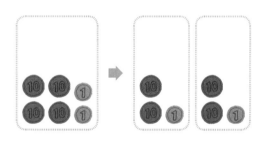

$\underline{42 \div 2} =$ ⬚

$40 \div 2 =$ ⬚

$2 \div 2 =$ ⬚

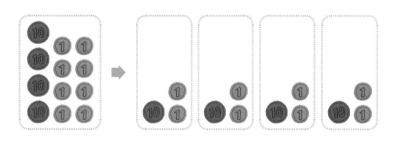

$\underline{48 \div 4} =$ ⬚

$40 \div 4 =$ ⬚

$8 \div 4 =$ ⬚

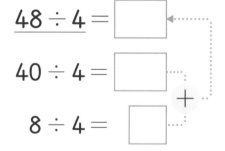

각 자리별로 나누어
몫을 구한 다음
두 몫을 더하면 돼.

♣ (몇)÷(몇)을 이용하여 (몇십)÷(몇)을 계산하세요.

$8 ÷ 2 = \boxed{}$

10배

$80 ÷ 2 = \boxed{}$

10배

나누어지는 수가
10배가 되면
몫도 10배가 돼!

$5 ÷ 5 = \boxed{}$

$50 ÷ 5 = \boxed{}$

$9 ÷ 3 = \boxed{}$

$90 ÷ 3 = \boxed{}$

(몇백)÷(몇), (몇천)÷(몇)은 계산할 수 있겠어?

$600 ÷ 3 = \boxed{}$　　$8000 ÷ 2 = \boxed{}$

♣ 십의 자리와 일의 자리로 나누어 (몇십몇)÷(몇)을 계산하세요.

십, 일의 자리
순서로 각각
나누어 더해.

4÷4

$84 ÷ 4 = \boxed{2\ 1}$

8÷4

9÷3

$39 ÷ 3 = \boxed{}$

3÷3

$40 ÷ 2 = \boxed{}$

$69 ÷ 3 = \boxed{}$

33

2일 나머지 없는 (두 자리 수) ÷ (한 자리 수)(2)

십의 자리의 수를 나눌 수 있는 만큼 먼저 갈라.

🍀 동전을 보고 나눗셈을 하세요.

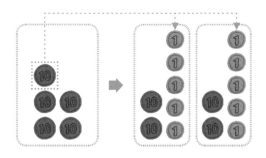

$50 \div 2 =$ □

$40 \div 2 =$ □

$10 \div 2 =$ □

$+$

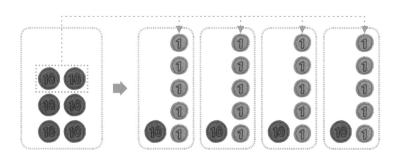

$60 \div 4 =$ □

$40 \div 4 =$ □

$20 \div 4 =$ □

$+$

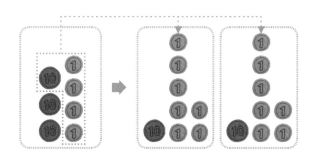

$34 \div 2 =$ □

$20 \div 2 =$ □

$14 \div 2 =$ □

$+$

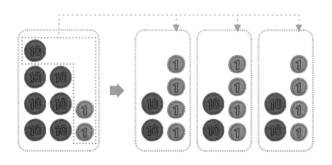

$72 \div 3 =$ □

$60 \div 3 =$ □

$12 \div 3 =$ □

$+$

➕ 자리를 나누어 (몇십몇)÷(몇)을 계산하세요.

<u>80 ÷ 5</u> = ☐ ◄┄┄┐
50 ÷ 5 = ☐ ┄┄┄┤
                  + ┄┘
30 ÷ 5 = ☐

각 자리별로 나누어
몫을 구한 다음
두 몫을 더하면 돼.

<u>36 ÷ 2</u> = ☐ ◄┄┄┐
20 ÷ 2 = ☐ ┄┄┄┤
                  + ┄┘
16 ÷ 2 = ☐

<u>81 ÷ 3</u> = ☐ ◄┄┄┐
60 ÷ 3 = ☐ ┄┄┄┤
                  + ┄┘
21 ÷ 3 = ☐

➕ 가로셈으로 나눗셈을 하세요.

90 ÷ 6 = ☐

먼저 십의 자리의
수를 6으로 나눌 수
있는 수만큼 갈라.

60   30

92 ÷ 4 = ☐

80   12

84 ÷ 7 = ☐

78 ÷ 2 = ☐

나머지 없는 (두 자리 수)÷(한 자리 수)(3)

십, 일의 자리 순서로 나누어 몫을 구해.

✚ 세로셈으로 나눗셈을 하세요.

$86 \div 2$

86을 십의 자리 수부터 2로 나누어요.

0은 생략해.

8에 2는 4번 들어가요.

6에 2는 3번 들어가요.

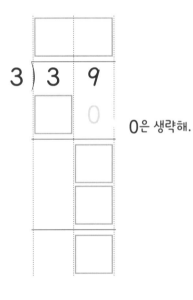

0은 생략해.

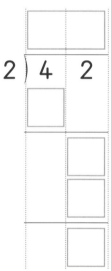

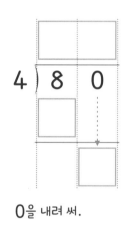

0을 내려 써.

나눗셈을 계산할 때 덧셈을 하는 친구들이 있어. 뺄셈이야!

$3\overline{)9\ 6}$

$7\overline{)7\ 7}$

$2\overline{)6\ 0}$

➕ 세로셈으로 나눗셈을 하세요.

$72 \div 2$

72를 십의 자리 수부터
2로 나누어요.

0은 생략해.

십의 자리를 계산하고 남은 수 1과 일의 자리
수 2를 합친 12에 2는 6번 들어가요.

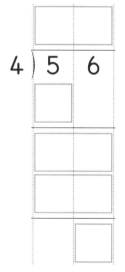

십의 자리의 수를
나누고 남은 수도
나중에 함께
꼭 나누어야 해.

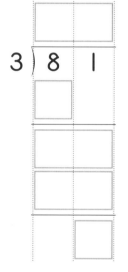

$3 \overline{)7 \quad 8}$

$2 \overline{)9 \quad 4}$

$4 \overline{)6 \quad 0}$

나머지 있는 (두 자리 수)÷(한 자리 수)(1)

더 이상 나눌 수 없는 수가 나머지야.

➕ 세로셈으로 나눗셈을 하세요.

$25 \div 4$

```
  4 ) 2   5
```

➡

```
      6    ← 몫
  4 ) 2   5
      2   4  ← 4×6
          1  ← 나머지
```

25를 십의 자리 수부터 4로 나누어야 해요.
그러나 2는 4로 나눌 수 없어요.

일의 자리 수 5를 포함한 남은 수 25를 4로
나누면 몫은 6, 나머지는 1이에요.

```
      □
  5 ) 4   2
      □
      □
```

```
      □
  6 ) 3   4
      □
      □
```

```
      □
  7 ) 2   0
      □
      □
```

```
  2 ) 1   3
```

```
  4 ) 3   0
```

```
  8 ) 4   5
```

➕ 가로셈으로 나눗셈을 하세요.

$23 \div 3 =$ ⬜ ⋯ ⬜
몫　나머지

$40 \div 6 =$ ⬜ ⋯ ⬜

$53 \div 9 =$ ⬜ ⋯ ⬜

$34 \div 4 =$ ⬜ ⋯ ⬜

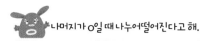
나머지가 0일 때 나누어떨어진다고 해.

$48 \div 4 = 12$ ➡ 몫: 12, 나머지: 0
(48은 4로 나누어떨어져요.)

➕ 표를 완성하고 밑줄 친 곳에 알맞은 말을 쓰세요.

⬜ ÷ 4

⬜	10	11	12	13	14	15	16	17
나머지	2							

$10 \div 4 = 2 \cdots ②$

⬜ ÷ 5

⬜	10	11	12	13	14	15	16	17
나머지								

➡ 나머지는 나누는 수보다 항상 ＿＿＿＿＿＿＿ .

39

5일 **나머지 있는 (두 자리 수)÷(한 자리 수)(2)** 나머지는 나누는 수보다 항상 작아.

🍀 세로셈으로 나눗셈을 하세요.

$74 \div 3$

74를 십의 자리 수부터 3으로 나누어요.

7에 3은 2번 들어가요.

남은 수 14에 3은 4번 들어가요.

$2\,)\,5\quad3$

$7\,)\,9\quad5$

$4\,)\,7\quad0$

$5\,)\,6\quad8$

$3\,)\,8\quad5$

$2\,)\,9\quad9$

➕ 가로셈으로 나눗셈을 하세요.

십, 일의 자리 순서로
나누어 계산해.

$57 \div 2 =$ ☐ ⋯ ☐

몫   나머지

$75 \div 4 =$ ☐ ⋯ ☐

$83 \div 3 =$ ☐ ⋯ ☐

$97 \div 8 =$ ☐ ⋯ ☐

●▲÷■의 몫은 몇 자리 수일까?

	● > ■	● = ■	● < ■
몫	두 자리 수	두 자리 수	한 자리 수
예	$31 \div 2 = 15 \cdots 1$	$21 \div 2 = 10 \cdots 1$	$11 \div 2 = 5 \cdots 1$

➕ 나눗셈의 나머지를 찾아 선으로 이으세요.

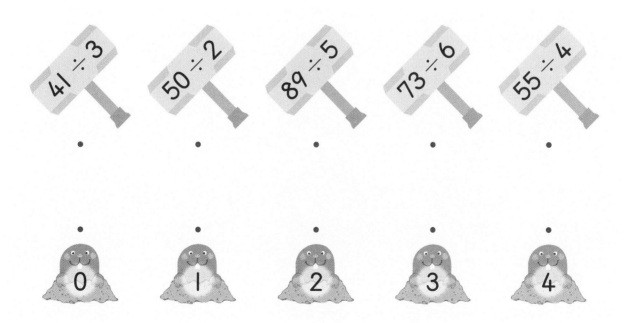

41 ÷ 3   50 ÷ 2   89 ÷ 5   73 ÷ 6   55 ÷ 4

0   1   2   3   4

➕ 나눗셈을 하세요.

$2 \overline{)4\ 8}$ $5 \overline{)8\ 0}$ $3 \overline{)8\ 6}$

➕ 나눗셈을 하세요.

$90 \div 3 = \boxed{}$ $85 \div 5 = \boxed{}$

$49 \div 2 = \boxed{} \cdots \boxed{}$ $74 \div 4 = \boxed{} \cdots \boxed{}$

➕ 바르게 계산하세요.

$$
\begin{array}{r}
1\ 3 \\
6\overline{)8\ 3} \\
6 \\
\hline
2\ 0 \\
1\ 8 \\
\hline
2
\end{array}
$$
➡

$$
\begin{array}{r}
1\ 8 \\
4\overline{)7\ 7} \\
4 \\
\hline
3\ 7 \\
3\ 2 \\
\hline
5
\end{array}
$$
➡

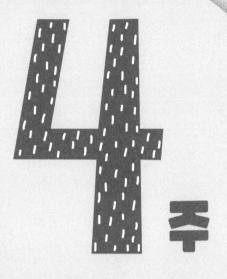

4주

(세 자리 수)÷(한 자리 수)

학습 기준

• 나머지가 없는 (세 자리 수)÷(한 자리 수)를 계산할 수 있나요? ☐

• 나머지가 있는 (세 자리 수)÷(한 자리 수)를 계산할 수 있나요? ☐

• (세 자리 수)÷(한 자리 수)를 가로셈으로 계산할 수 있나요? ☐

• (두·세 자리 수)÷(한 자리 수)의 계산이 맞는지 검산할 수 있나요? ☐

1일 나머지 없는 (세 자리 수)÷(한 자리 수)

➕ 몫이 세 자리 수인 나눗셈을 하세요.

```
    2              2 1            2 1 8
  3)6 5 4        3)6 5 4        3)6 5 4
    6              6              6
                   5              5
                   3              3
                   2              2 4
                                  2 4
                                    0
```

6에 3은 2번 들어가요.   5에 3은 1번 들어가고 2가 남아요.   24에 3은 8번 들어가요.

```
  4)4 9 2        2)7 3 6        3)6 1 5
```

십의 자리의 수 1은 3으로 나눌 수 없으므로 몫의 십의 자리 수는 0이야.

 어려우면 손가락으로 수를 가려가며 차례로 나누어 봐.

```
4)4   ➡   4)4 9   ➡   4)4 9 2
```

나누어지면 나누어지는 수 바로 위에 몫을 써요.

➕ 몫이 두 자리 수인 나눗셈을 하세요.

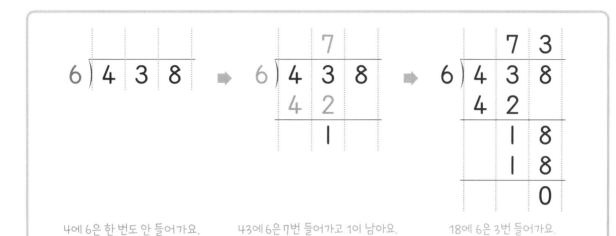

4에 6은 한 번도 안 들어가요.   43에 6은 7번 들어가고 1이 남아요.   18에 6은 3번 들어가요.

$3\overline{)2\ 2\ 5}$

$5\overline{)4\ 2\ 0}$

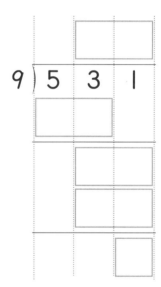

$4\overline{)1\ 9\ 2}$

$7\overline{)4\ 6\ 9}$

$8\overline{)6\ 0\ 0}$

나머지 있는 (세 자리 수) ÷ (한 자리 수)

나머지는 나누는 수보다 항상 작아.

➕ 나눗셈을 하여 몫과 나머지를 구하세요.

```
        5  3 ◀-- 몫
   4 ) 2  1  5
       2  0    ◀-- 4×5
       ───
          1  5
          1  2 ◀-- 4×3
          ───
             3 ◀-- 나머지
```

```
6 ) 4  7  5
```

```
5 ) 6  3  4
```

```
7 ) 5  2  1
```

```
3 ) 8  0  0
```

```
8 ) 3  8  9
```

```
4 ) 8  1  3
```

●▲■ ÷ ★의 몫은 언제 두 자리 수야?

●<★인 경우지!
(나누어지는 수의 백의 자리의 수가
나누는 수보다 작은 경우)

➕ 빈 곳에 알맞은 조각을 찾아 밑줄 친 곳에 나눗셈의 나머지를 쓰세요.

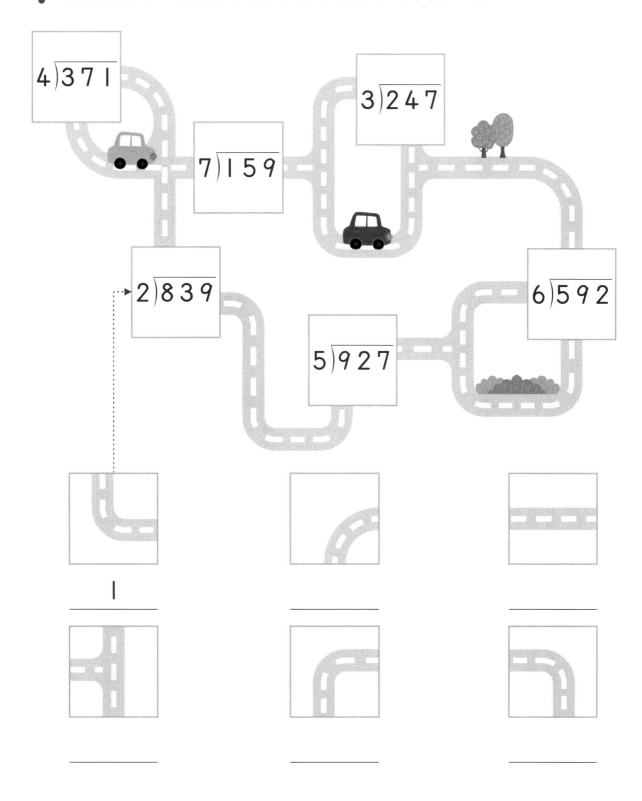

➕ 나머지가 없는 나눗셈을 하세요.

$720 \div 6 =$

$168 \div 2 =$

$343 \div 7 =$

$825 \div 3 =$

$812 \div 4 =$

$504 \div 9 =$

나누어지지 않을 때는
몫의 자리를
한 칸 내려서 생각해.

➕ 나머지가 있는 나눗셈을 하세요.

$326 \div 4 =$ ⋯
몫   나머지

$687 \div 8 =$ ⋯

$522 \div 7 =$ ⋯

$768 \div 5 =$ ⋯

$800 \div 9 =$ ⋯

$923 \div 3 =$ ⋯

➕ 6으로 나누어 몫이 가장 큰 물고기에 ◯표, 나머지가 가장 큰 물고기에 △표 하세요.

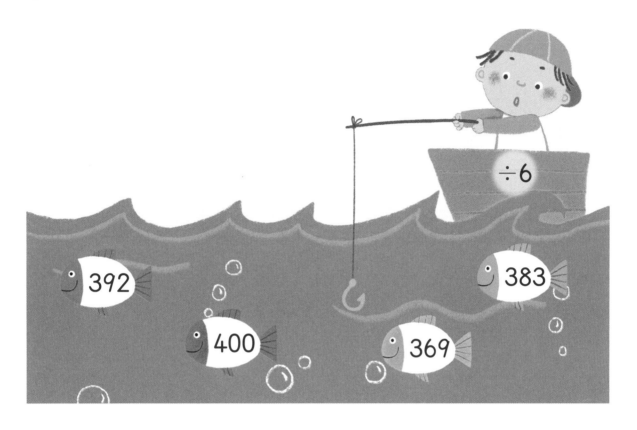

➕ 빈 곳에 알맞은 수를 쓰세요.

4일 나눗셈 검산

은 몫과 나머지를 맞게 구했는지 곱셈과 덧셈으로 확인하는 방법이야.

➕ 나눗셈식을 보고 검산식으로 바꾸어 쓰세요.

나머지가 없는 경우

나누는 수와 몫을 곱하면
나누어지는 수가 나와.

$$42 \div 3 = 14$$
검산 $3 \times 14 = 42$

$$85 \div 5 = 17$$
검산 _____

$$576 \div 8 = 72$$
검산 _____

$$756 \div 6 = 126$$
검산 _____

나머지가 있는 경우

$$67 \div 4 = 16 \cdots 3$$
검산 $4 \times 16 + 3 = 67$

$$93 \div 7 = 13 \cdots 2$$
검산 _____

$$247 \div 3 = 82 \cdots 1$$
검산 _____

$$838 \div 6 = 139 \cdots 4$$
검산 _____

✚ 나눗셈의 몫과 나머지를 알맞게 구한 것을 찾아 ◯표 하세요.

$96 \div 4 = 23$ 검산 $\boxed{4} \times \boxed{23} = \boxed{92}$

$92 \div 6 = 15 \cdots 4$ 검산 $\boxed{} \times \boxed{} + \boxed{} = \boxed{}$

$400 \div 3 = 133 \cdots 2$ 검산 $\boxed{} \times \boxed{} + \boxed{} = \boxed{}$

$612 \div 7 = 87 \cdots 3$ 검산 $\boxed{} \times \boxed{} + \boxed{} = \boxed{}$

✚ 나눗셈의 몫과 나머지를 구하고 검산하세요.

$50 \div 6 = \boxed{} \cdots \boxed{}$ $429 \div 8 = \boxed{} \cdots \boxed{}$

검산 _____   검산 _____

$305 \div 7 = \boxed{} \cdots \boxed{}$

검산 _____

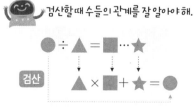

검산할때 수들의 관계를 잘 알아야해.

● ÷ ▲ = ■ ⋯ ★

검산   ▲ × ■ + ★ = ●

5일 나눗셈 퍼즐 로 나눗셈을 재미있게 마무리해 볼까?

➕ 주어진 구슬 1개의 무게를 구하세요. (단, 색깔이 같은 구슬의 무게는 모두 같습니다.)

471 g

920 g

🔵 1개의 무게: ☐ g

🔵 1개의 무게: ☐ g

이럴 때 나눗셈을 이용
해야지! 모두 나누어
떨어지는 나눗셈이야.

872 g

984 g

⚪ 1개의 무게: ☐ g

🔴 1개의 무게: ☐ g

✦ ☐ 안에 알맞은 수를 쓰세요.

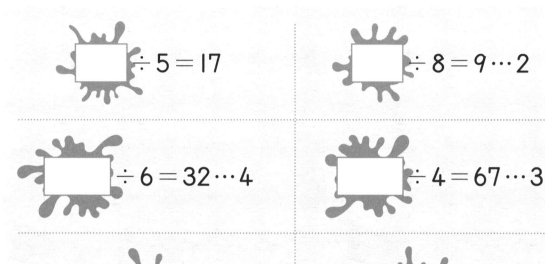

$$\boxed{} \div 5 = 17$$

$$\boxed{} \div 8 = 9 \cdots 2$$

$$\boxed{} \div 6 = 32 \cdots 4$$

$$\boxed{} \div 4 = 67 \cdots 3$$

$$52 \div \boxed{} = 26$$

$$31 \div \boxed{} = 4 \cdots 3$$

검산식을 이용하면
간단할 것 같은데……

✦ 주어진 수로 나누어떨어지는 수에 ◯표 하세요.

4	
186	534
918	776

9	
109	342
536	671

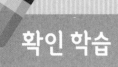

나눗셈을 하세요.

$3\overline{)783}$　　　$7\overline{)594}$　　　$4\overline{)827}$

나눗셈의 몫과 나머지를 구하고 검산하세요.

$47 \div 6 = \boxed{} \cdots \boxed{}$　　　$691 \div 8 = \boxed{} \cdots \boxed{}$

검산 _____　　　검산 _____

□ 안에 알맞은 수를 쓰세요.

$\boxed{} \div 5 = 25 \cdots 3$　　　$70 \div \boxed{} = 7 \cdots 7$

마무리 평가

마무리 평가에서는 1, 2, 3, 4주 차의 유형이 순서대로 나옵니다.
문제가 틀리면 몇 주 차인지 확인하여 반드시 다시 한번 복습합니다.

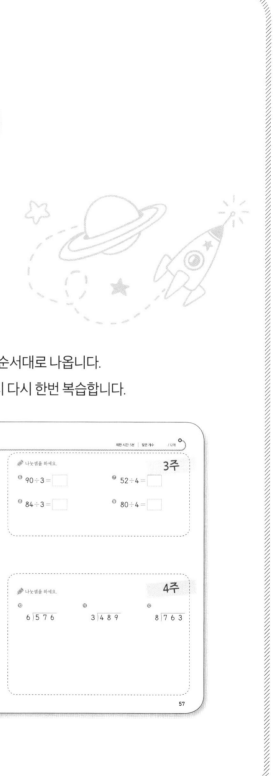

✏️ 곱셈을 하세요.

❶ $7 \times 3 = \boxed{}$

$70 \times 3 = \boxed{}$

$700 \times 3 = \boxed{}$

❷ $8 \times 12 = \boxed{}$

$80 \times 12 = \boxed{}$

✏️ 관계있는 것끼리 선으로 이으세요.

❸ 40×30 ❹ 73×60 ❺ 20×47

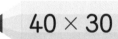
0의 개수 |1개|

|2개|

✏️ 나눗셈을 하세요.

❻ $90 \div 3 = \boxed{}$

❼ $52 \div 4 = \boxed{}$

❽ $84 \div 3 = \boxed{}$

❾ $80 \div 4 = \boxed{}$

✏️ 나눗셈을 하세요.

❿
$6 \overline{)5\ 7\ 6}$

⓫
$3 \overline{)4\ 8\ 9}$

⓬
$8 \overline{)7\ 6\ 3}$

2회 마무리 평가

곱셈을 하세요.

❶
$$\begin{array}{r} 600 \\ \times \quad 4 \\ \hline \end{array}$$

❷
$$\begin{array}{r} 182 \\ \times \quad 3 \\ \hline \end{array}$$

❸ $241 \times 4 =$

❹ $879 \times 2 =$

빈칸에 알맞은 수를 써넣어 곱셈을 하세요.

❺
$32 \times 13 = \square$

$32 \times 10 = \square$

$32 \times 3 = \square$

(+)

❻
$57 \times 64 = \square$

$57 \times 60 = \square$

$57 \times 4 = \square$

(+)

✏️ 빈칸에 알맞은 수를 써넣어 나눗셈을 하세요.

❼ $96 \div 8 = \boxed{}$

$80 \div 8 = \boxed{}$

$+$

$16 \div 8 = \boxed{}$

❽ $75 \div 3 = \boxed{}$

$60 \div 3 = \boxed{}$

$+$

$15 \div 3 = \boxed{}$

✏️ 7로 나누어 몫이 가장 큰 물고기에 ◯표, 나머지가 가장 큰 물고기에 △표 하세요.

❾

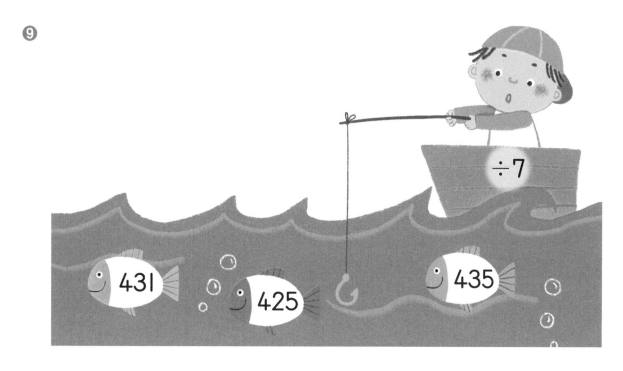

3회 마무리 평가

곱셈을 하세요.

❶ $\begin{array}{r} 293 \\ \times \quad 4 \\ \hline \end{array}$

❷ $\begin{array}{r} 321 \\ \times \quad 9 \\ \hline \end{array}$

❸ $168 \times 2 =$

❹ $507 \times 8 =$

곱셈을 하세요.

❺ $\begin{array}{r} 13 \\ \times 21 \\ \hline \end{array}$

❻ $\begin{array}{r} 42 \\ \times 14 \\ \hline \end{array}$

❼ $\begin{array}{r} 52 \\ \times 39 \\ \hline \end{array}$

✏️ 나눗셈을 하세요.

❽

$$2\,)\overline{8\ 0}$$

❾

$$7\,)\overline{8\ 4}$$

❿

$$5\,)\overline{9\ 4}$$

✏️ 빈 곳에 알맞은 수를 쓰세요.

⓫

÷ 6

몫 　　나머지

568		… ◯
569		… ◯
570		… ◯

⓬

÷ 8

몫 　　나머지

305		… ◯
304		… ◯
303		… ◯

✏️ ☐ 안에 알맞은 수를 쓰세요.

❶
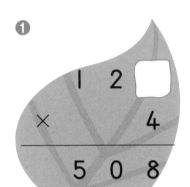

$$
\begin{array}{r}
1\,2\,\square \\
\times\quad\ 4 \\
\hline
5\,0\,8
\end{array}
$$

❷

$$
\begin{array}{r}
\square\,4\,\square \\
\times\quad\ 3 \\
\hline
1\,9\,3\,5
\end{array}
$$

❸
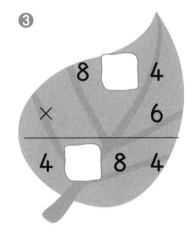

$$
\begin{array}{r}
8\,\square\,4 \\
\times\quad\ 6 \\
\hline
4\,\square\,8\,4
\end{array}
$$

✏️ 곱셈을 하세요.

❹
$$
\begin{array}{r}
2\,2 \\
\times\ 7\,8 \\
\hline
\end{array}
$$

❺
$$
\begin{array}{r}
6\,8 \\
\times\ 3\,6 \\
\hline
\end{array}
$$

❻
$$
\begin{array}{r}
5\,4 \\
\times\ 9\,7 \\
\hline
\end{array}
$$

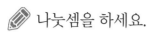 나눗셈을 하세요.

❼

$$6 \overline{)46}$$

❽

$$2 \overline{)65}$$

❾

$$4 \overline{)99}$$

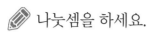 나눗셈의 몫과 나머지를 구하고 검산하세요.

❿ $46 \div 3 = \boxed{} \cdots \boxed{}$

검산 _____

⓫ $584 \div 9 = \boxed{} \cdots \boxed{}$

검산 _____

✏️ 곱셈을 하세요.

❶
$$\begin{array}{r} 4 \\ \times\ 3\ 7 \\ \hline \end{array}$$

❷
$$\begin{array}{r} 9 \\ \times\ 5\ 6 \\ \hline \end{array}$$

❸ $2 \times 81 =$

❹ $7 \times 42 =$

✏️ 상자에서 곱을 찾아 가로 또는 세로로 색칠하세요.

❺

13×52

4	6	5	1
8	7	6	6
6	5	7	6
7	6	6	9

❻

46×43

2	9	1	8
1	0	9	8
3	1	7	2
1	9	7	8

✏️ 나눗셈의 나머지를 찾아 선으로 이으세요.

❼ 　　❽ 　　❾ 　　❿

•　　　　•　　　　•　　　　•

•　　　　•　　　　•　　　　•

✏️ ☐ 안에 알맞은 수를 쓰세요.

⓫ $\boxed{} \div 4 = 59 \cdots 1$　　　　⓬ $47 \div \boxed{} = 7 \cdots 5$

65

MEMO

실력 평가

초3_3권

| 시간 | 2분 30초 | 문제 수 | 12개 |

날짜: _____ 월 _____ 일

이름: _____

| 배점 | 기본 4점
1문제 8점 | / 총100점 |

점수: _____ 점

사고가 자라는 수학
씨투엠

① 　4 2
　× 　6

② 　3 1 0
　×　　9

③ 　9 4 7
　×　　4

④ 　　2 3
　× 1 4

⑤ 　　4 7
　× 2 5

⑥ 　　5 8
　× 3 6

⑦ 4) 7 6

⑧ 7) 9 2

⑨ 6) 8 8

⑩ 5) 6 8 5

⑪ 8) 4 7 5

⑫ 3) 7 6 4

수백판 100

유아·초등 수학의 필수 개념
교과연계 수백판 100

유아·초등수학에서 꼭 해야 할 필수 교구 수백판 100

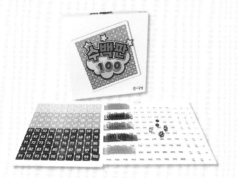

수백판

+

워크북(2권)

❶ 편리한 설계로
유아부터 초등까지
누구나 쉽게 이용가능!

❷ 보다 다양한 활동을 위해
읽기판과 천판
추가!

❸ 수칩 구분이 쉬워
정리와 보관까지
한 번에!

❹ 초등수학교과를 연계한 체계적인 워크북과
함께하면 스스로 실력이 쑥쑥!

100%
교과 연계
워크북

교과연계 단위 소개와 배워
야 할 학습목표를 한눈에 볼
수 있습니다.

씨투엠이 만들면 기준이 됩니다!

정답

칸토의 연산

곱셈과 나눗셈

사고가 자라는 수학

초3·3권

초등 연산의 기준

칸토의 연산

정답

곱셈과 나눗셈

1주: (세 자리 수)×(한 자리 수)

1일 (몇백)×(몇), (몇백몇십)×(몇) 0의 개수를 세면 큰 수의 곱셈도 쉬워!

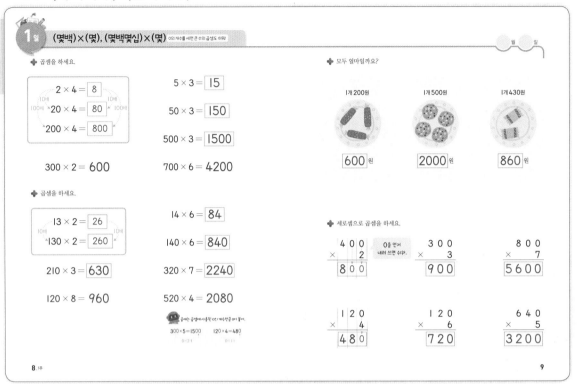

◆ 곱셈을 하세요.

$2 \times 4 = 8$
$20 \times 4 = 80$
$200 \times 4 = 800$

$5 \times 3 = 15$
$50 \times 3 = 150$
$500 \times 3 = 1500$

$300 \times 2 = 600$
$700 \times 6 = 4200$

◆ 곱셈을 하세요.

$13 \times 2 = 26$
$130 \times 2 = 260$

$14 \times 6 = 84$
$140 \times 6 = 840$

$210 \times 3 = 630$
$320 \times 7 = 2240$

$120 \times 8 = 960$
$520 \times 4 = 2080$

$300 \times 5 = 1500$ $120 \times 4 = 480$

◆ 모두 얼마일까요?

1개 200원 → 600원
1개 500원 → 2000원
1개 430원 → 860원

◆ 세로셈으로 곱셈을 하세요.

$\begin{array}{r} 400 \\ \times 2 \\ \hline 800 \end{array}$ 0을 먼저 내려 쓰면 쉬워.

$\begin{array}{r} 300 \\ \times 3 \\ \hline 900 \end{array}$

$\begin{array}{r} 800 \\ \times 7 \\ \hline 5600 \end{array}$

$\begin{array}{r} 120 \\ \times 4 \\ \hline 480 \end{array}$

$\begin{array}{r} 120 \\ \times 6 \\ \hline 720 \end{array}$

$\begin{array}{r} 640 \\ \times 5 \\ \hline 3200 \end{array}$

2일 올림 1번까지 있는 (세 자리 수)×(한 자리 수) 올림한 수는 한 자리 위로 올려 더해.

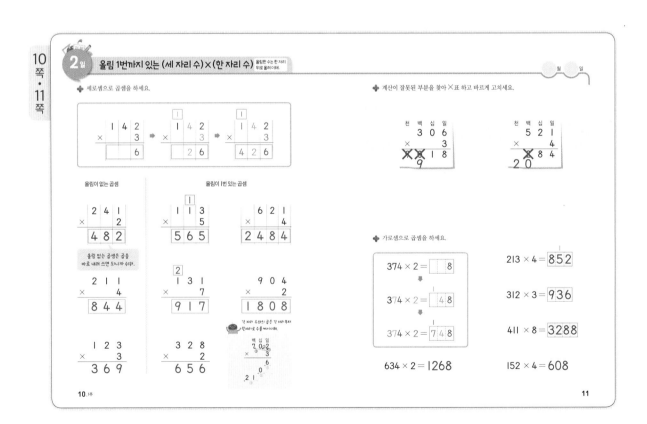

◆ 세로셈으로 곱셈을 하세요.

$\begin{array}{r} 142 \\ \times 3 \\ \hline 6 \end{array}$ → $\begin{array}{r} 142 \\ \times 3 \\ \hline 26 \end{array}$ → $\begin{array}{r} 142 \\ \times 3 \\ \hline 426 \end{array}$

올림이 없는 곱셈

$\begin{array}{r} 241 \\ \times 2 \\ \hline 482 \end{array}$

올림이 1번 있는 곱셈

$\begin{array}{r} 113 \\ \times 5 \\ \hline 565 \end{array}$

$\begin{array}{r} 621 \\ \times 4 \\ \hline 2484 \end{array}$

올림 없는 곱셈은 곱을 바로 내려 쓰면 되니까 쉬워.

$\begin{array}{r} 211 \\ \times 4 \\ \hline 844 \end{array}$

$\begin{array}{r} 131 \\ \times 7 \\ \hline 917 \end{array}$

$\begin{array}{r} 904 \\ \times 2 \\ \hline 1808 \end{array}$

$\begin{array}{r} 123 \\ \times 3 \\ \hline 369 \end{array}$

$\begin{array}{r} 328 \\ \times 2 \\ \hline 656 \end{array}$

◆ 계산이 잘못된 부분을 찾아 ✕표 하고 바르게 고치세요.

천 백 십 일
$\begin{array}{r} 306 \\ \times 3 \\ \hline \cancel{918} \\ 9 \end{array}$

천 백 십 일
$\begin{array}{r} 521 \\ \times 4 \\ \hline \cancel{84} \\ 20 \end{array}$

◆ 가로셈으로 곱셈을 하세요.

$374 \times 2 = 8$
$374 \times 2 = 48$
$374 \times 2 = 748$

$213 \times 4 = 852$

$312 \times 3 = 936$

$411 \times 8 = 3288$

$634 \times 2 = 1268$

$152 \times 4 = 608$

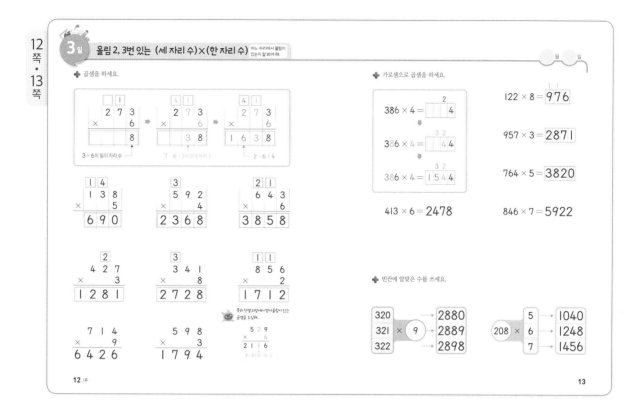

3일 올림 2, 3번 있는 (세 자리 수)×(한 자리 수)

어느 자리에서 올림이 있는지 잘 봐야 해.

월 일

♣ 곱셈을 하세요.

♣ 가로셈으로 곱셈을 하세요.

$386 \times 4 = \boxed{4}$

$386 \times 4 = \boxed{44}$

$386 \times 4 = \boxed{1544}$

$413 \times 6 = 2478$

$122 \times 8 = 976$

$957 \times 3 = 2871$

$764 \times 5 = 3820$

$846 \times 7 = 5922$

$138 \times 5 = 690$

$592 \times 4 = 2368$

$643 \times 6 = 3858$

$427 \times 3 = 1281$

$341 \times 8 = 2728$

$856 \times 2 = 1712$

$714 \times 9 = 6426$

$598 \times 3 = 1794$

$529 \times 4 = 2116$

♣ 빈칸에 알맞은 수를 쓰세요.

320		2880
321	×9	2889
322		2898

208	×5	1040
	×6	1248
	×7	1456

12.1주

13

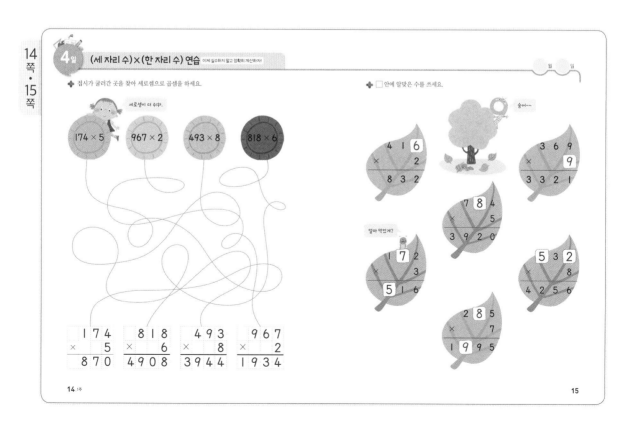

4일 (세 자리 수)×(한 자리 수) 연습

이제 실수하지 말고 정확히 계산하자!

월 일

♣ 접시가 굴러간 곳을 찾아 세로셈으로 곱셈을 하세요.

세로셈이 더 쉬워.

174×5 967×2 493×8 818×6

$174 \times 5 = 870$

$818 \times 6 = 4908$

$493 \times 8 = 3944$

$967 \times 2 = 1934$

♣ □ 안에 알맞은 수를 쓰세요.

숨어~~

$416 \times 2 = 832$

$369 \times 9 = 3321$

$784 \times 5 = 3920$

얼마 먹었게?

$172 \times 3 = 516$

$532 \times 8 = 4256$

$285 \times 7 = 1995$

14.1주

15

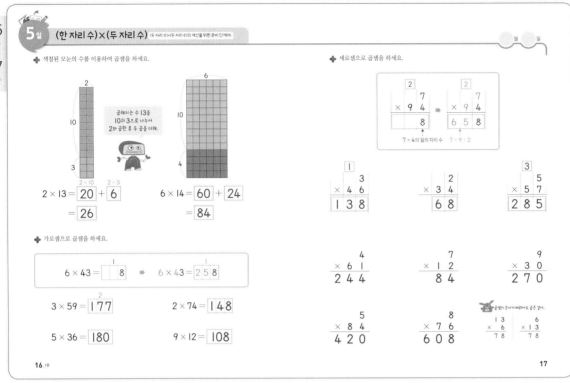

16쪽·17쪽

5일 (한 자리 수)×(두 자리 수) (두 자리 수)×(두 자리 수)의 계산을 위한 준비 단계에요.

월 일

♣ 색칠된 모눈의 수를 이용하여 곱셈을 하세요.

공해지는 수 13을 10과 3으로 나누어 2와 곱한 후 두 곱을 더해.

$2 × 13 = 20 + 6$
$= 26$

$6 × 14 = 60 + 24$
$= 84$

♣ 가로셈으로 곱셈을 하세요.

$6 × 43 = 8$ ➡ $6 × 43 = 258$

$3 × 59 = 177$

$2 × 74 = 148$

$5 × 36 = 180$

$9 × 12 = 108$

♣ 세로셈으로 곱셈을 하세요.

$\begin{array}{r} 7 \\ × 9\,4 \\ \hline 8 \end{array}$ ➡ $\begin{array}{r} 7 \\ × 9\,4 \\ \hline 6\,5\,8 \end{array}$

7 × 4의 일의 자리 수 7 × 9 : 2

$\begin{array}{r} 3 \\ × 4\,6 \\ \hline 1\,3\,8 \end{array}$

$\begin{array}{r} 2 \\ × 3\,4 \\ \hline 6\,8 \end{array}$

$\begin{array}{r} 5 \\ × 5\,7 \\ \hline 2\,8\,5 \end{array}$

$\begin{array}{r} 4 \\ × 6\,1 \\ \hline 2\,4\,4 \end{array}$

$\begin{array}{r} 7 \\ × 1\,2 \\ \hline 8\,4 \end{array}$

$\begin{array}{r} 9 \\ × 3\,0 \\ \hline 2\,7\,0 \end{array}$

$\begin{array}{r} 5 \\ × 8\,4 \\ \hline 4\,2\,0 \end{array}$

$\begin{array}{r} 8 \\ × 7\,6 \\ \hline 6\,0\,8 \end{array}$

$\begin{array}{r} 1\,3 \\ × \quad 6 \\ \hline 7\,8 \end{array}$

$\begin{array}{r} 6 \\ × 1\,3 \\ \hline 7\,8 \end{array}$

16 1주

17

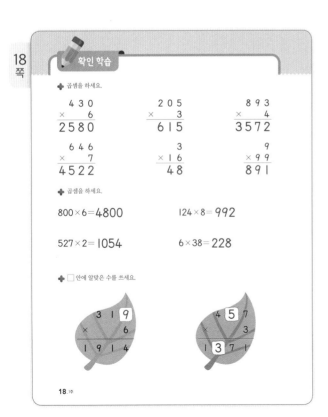

18쪽

확인 학습

♣ 곱셈을 하세요.

$\begin{array}{r} 4\,3\,0 \\ × \quad 6 \\ \hline 2\,5\,8\,0 \end{array}$

$\begin{array}{r} 2\,0\,5 \\ × \quad 3 \\ \hline 6\,1\,5 \end{array}$

$\begin{array}{r} 8\,9\,3 \\ × \quad 4 \\ \hline 3\,5\,7\,2 \end{array}$

$\begin{array}{r} 6\,4\,6 \\ × \quad 7 \\ \hline 4\,5\,2\,2 \end{array}$

$\begin{array}{r} 3 \\ × 1\,6 \\ \hline 4\,8 \end{array}$

$\begin{array}{r} 9 \\ × 9\,9 \\ \hline 8\,9\,1 \end{array}$

♣ 곱셈을 하세요.

$800 × 6 = 4800$

$124 × 8 = 992$

$527 × 2 = 1054$

$6 × 38 = 228$

♣ ☐ 안에 알맞은 수를 쓰세요.

$\begin{array}{r} 3\,1\,9 \\ × \quad 6 \\ \hline 1\,9\,1\,4 \end{array}$

$\begin{array}{r} 4\,5\,7 \\ × \quad 3 \\ \hline 1\,3\,7\,1 \end{array}$

1주

18 1주

4

2주: (두 자리 수)×(두 자리 수)

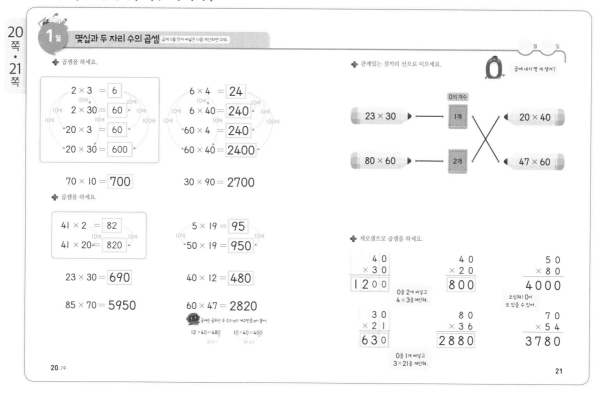

1일 몇십과 두 자리 수의 곱셈 곱에 0을 먼저 써넣은 다음 계산하면 쉬워.

➕ 곱셈을 하세요.

$2 \times 3 = 6$
$2 \times 30 = 60$
$20 \times 3 = 60$
$20 \times 30 = 600$

$6 \times 4 = 24$
$6 \times 40 = 240$
$60 \times 4 = 240$
$60 \times 40 = 2400$

$70 \times 10 = 700$　　$30 \times 90 = 2700$

➕ 곱셈을 하세요.

$41 \times 2 = 82$
$41 \times 20 = 820$

$5 \times 19 = 95$
$50 \times 19 = 950$

$23 \times 30 = 690$　　$40 \times 12 = 480$

$85 \times 70 = 5950$　　$60 \times 47 = 2820$

곱에는 곱하는 두 수의 0의 개수만큼 붙여.
$12 \times 40 = 480$　$10 \times 40 = 400$
0이 1개　　0이 2개

➕ 관계있는 것끼리 선으로 이으세요.

곱에 내가 몇 개 생겨?

0의 개수
23×30 ▶ ── 1개 ◀ 20×40
80×60 ▶ ── 2개 ◀ 47×60

➕ 세로셈으로 곱셈을 하세요.

```
   4 0
 ×  3 0
 1 2 0 0
```
0을 2개 써넣고
4×3을 계산해.

```
   4 0
 ×  2 0
   8 0 0
```

```
   5 0
 ×  8 0
 4 0 0 0
```
조심해! 0이
또 있을 수 있어.

```
   3 0
 ×  2 1
   6 3 0
```
0을 1개 써넣고
3×21을 계산해.

```
   8 0
 ×  3 6
 2 8 8 0
```

```
   7 0
 ×  5 4
 3 7 8 0
```

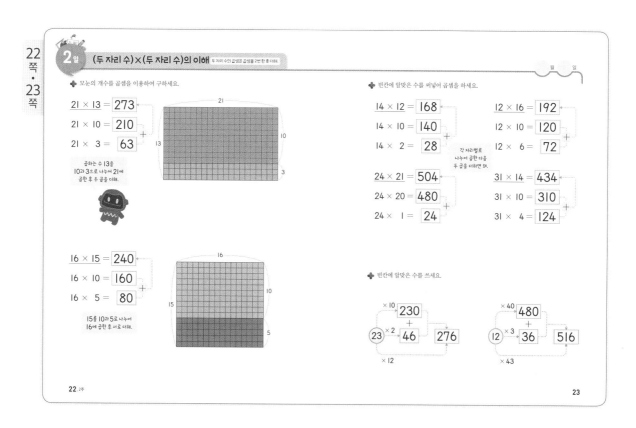

2일 (두 자리 수)×(두 자리 수)의 이해 두 자리 수의 곱셈은 곱셈을 2번 한 후 더해.

➕ 모눈의 개수를 곱셈을 이용하여 구하세요.

$21 \times 13 = 273$
$21 \times 10 = 210$
$21 \times 3 = 63$

곱하는 수 13을
10과 3으로 나누어 21에
곱한 후 곱을 더해.

$16 \times 15 = 240$
$16 \times 10 = 160$
$16 \times 5 = 80$

15를 10과 5로 나누어
16에 곱한 후 서로 더해.

➕ 빈칸에 알맞은 수를 써넣어 곱셈을 하세요.

$14 \times 12 = 168$
$14 \times 10 = 140$
$14 \times 2 = 28$

$12 \times 16 = 192$
$12 \times 10 = 120$
$12 \times 6 = 72$

각 자리별로
나누어 곱한 다음
두 곱을 더하면 돼.

$24 \times 21 = 504$
$24 \times 20 = 480$
$24 \times 1 = 24$

$31 \times 14 = 434$
$31 \times 10 = 310$
$31 \times 4 = 124$

➕ 빈칸에 알맞은 수를 쓰세요.

×10 → 230
　　　 +
23 ×2 → 46 → 276
×12

×40 → 480
　　　 +
12 ×3 → 36 → 516
×43

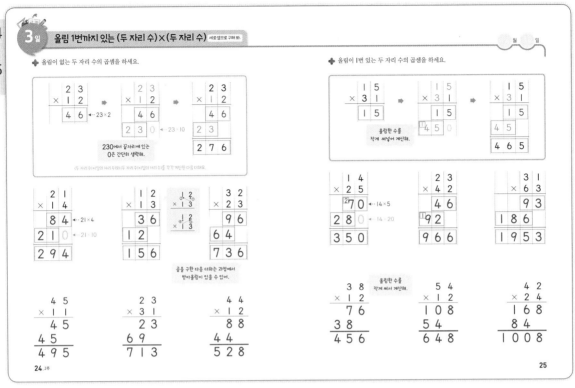

3일 올림 1번까지 있는 (두 자리 수)×(두 자리 수) 세로셈으로 구해 봐.

◆ 올림이 없는 두 자리 수의 곱셈을 하세요.

◆ 올림이 1번 있는 두 자리 수의 곱셈을 하세요.

24 .2주
25

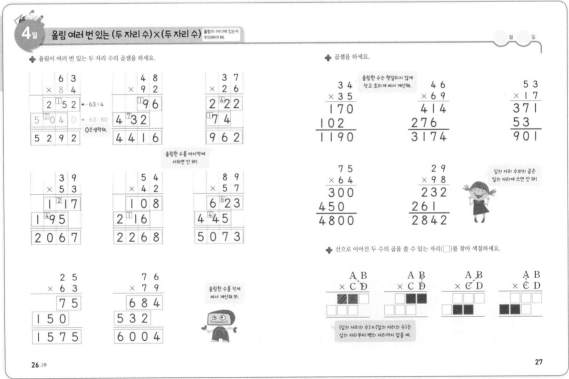

4일 올림 여러 번 있는 (두 자리 수)×(두 자리 수) 올림이 어디에 있는지 주의해야 해.

◆ 올림이 여러 번 있는 두 자리 수의 곱셈을 하세요.

◆ 곱셈을 하세요.

◆ 선으로 이어진 두 수의 곱을 쓸 수 있는 자리(□)를 찾아 색칠하세요.

26 .2주
27

6

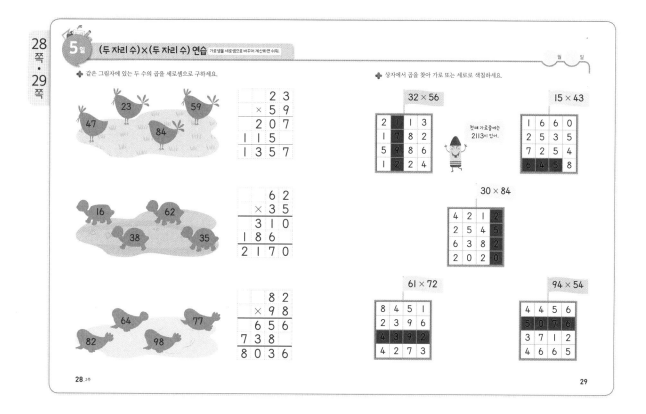

5일 (두 자리 수)×(두 자리 수) 연습 가로셈을 세로셈으로 바꾸어 계산하면 쉬워.

월 일

같은 그림자에 있는 두 수의 곱을 세로셈으로 구하세요.

```
    2 3
  ×  5 9
    2 0 7
  1 1 5
  1 3 5 7
```

```
    6 2
  ×  3 5
    3 1 0
  1 8 6
  2 1 7 0
```

```
    8 2
  ×  9 8
    6 5 6
  7 3 8
  8 0 3 6
```

상자에서 곱을 찾아 가로 또는 세로로 색칠하세요.

32 × 56

첫째 가로줄에는 2113이 있어.

15 × 43

30 × 84

61 × 72

94 × 54

28. 2주

29

확인 학습

곱셈을 하세요.

$40 × 20 = 800$

$30 × 41 = 1230$

```
    5 0
  ×  4 0
  2 0 0 0
```

```
    4 0
  ×  8 3
  3 3 2 0
```

곱셈을 하세요.

```
    2 3
  ×  4 2
    4 6
  9 2
  9 6 6
```

```
    3 7
  ×  9 6
  2 2 2
  3 3 3
  3 5 5 2
```

```
    8 4
  ×  3 7
  5 8 8
  2 5 2
  3 1 0 8
```

바르게 계산하세요.

```
    5 1
  ×  3 8
    4 8
  1 5 3
  1 5 7 8
```
➡
```
    5 1
  ×  3 8
    4 0 8
  1 5 3
  1 9 3 8
```

2주

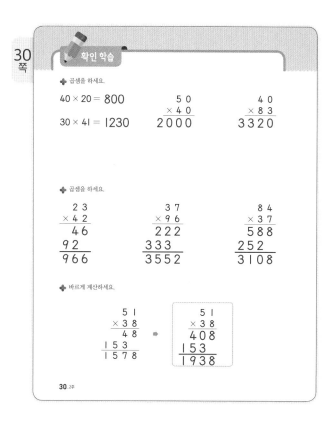

30. 2주

7

3주: (두 자리 수)÷(한 자리 수)

1일 나머지 없는 (두 자리 수)÷(한 자리 수)(1) 높은 자리부터 수를 갈라서 나눠.

월 일

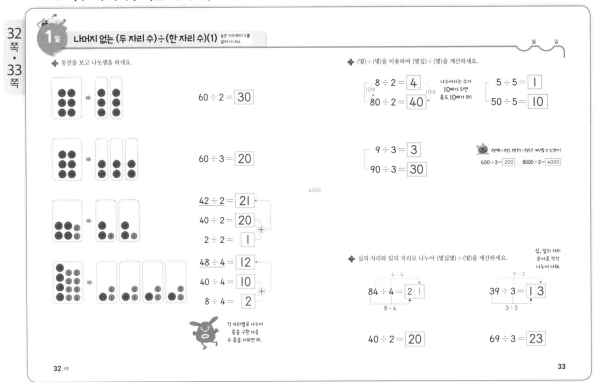

+ 동전을 보고 나눗셈을 하세요.

$60 \div 2 = 30$

$60 \div 3 = 20$

$42 \div 2 = 21$
$40 \div 2 = 20$
$2 \div 2 = 1$

$48 \div 4 = 12$
$40 \div 4 = 10$
$8 \div 4 = 2$

각 자리별로 나누어 몫을 구한 다음 두 몫을 더하면 돼.

+ (몇)÷(몇)을 이용하여 (몇십)÷(몇)을 계산하세요.

$8 \div 2 = 4$
$80 \div 2 = 40$ 나누어지는 수가 10배가 되면 몫도 10배가 돼!

$5 \div 5 = 1$
$50 \div 5 = 10$

$9 \div 3 = 3$
$90 \div 3 = 30$

(몇백)÷(몇), (몇천)÷(몇)은 어떻게 될까?
$600 \div 3 = 200$ $8000 \div 2 = 4000$

+ 십의 자리와 일의 자리로 나누어 (몇십몇)÷(몇)을 계산하세요.

십, 일의 자리 순서로 각각 나누어 더해.

$4 \div 4$
$84 \div 4 = 21$
$8 \div 4$

$9 \div 3$
$39 \div 3 = 13$
$3 \div 3$

$40 \div 2 = 20$

$69 \div 3 = 23$

2일 나머지 없는 (두 자리 수)÷(한 자리 수)(2) 십의 자리의 수를 나눌 수 있는 만큼 먼저 갈라.

월 일

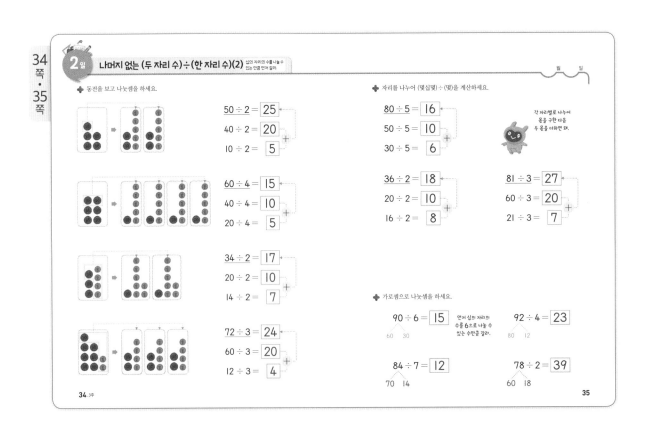

+ 동전을 보고 나눗셈을 하세요.

$50 \div 2 = 25$
$40 \div 2 = 20$
$10 \div 2 = 5$

$60 \div 4 = 15$
$40 \div 4 = 10$
$20 \div 4 = 5$

$34 \div 2 = 17$
$20 \div 2 = 10$
$14 \div 2 = 7$

$72 \div 3 = 24$
$60 \div 3 = 20$
$12 \div 3 = 4$

+ 자리를 나누어 (몇십몇)÷(몇)을 계산하세요.

$80 \div 5 = 16$
$50 \div 5 = 10$
$30 \div 5 = 6$

각 자리별로 나누어 몫을 구한 다음 두 몫을 더하면 돼.

$36 \div 2 = 18$
$20 \div 2 = 10$
$16 \div 2 = 8$

$81 \div 3 = 27$
$60 \div 3 = 20$
$21 \div 3 = 7$

+ 가로셈으로 나눗셈을 하세요.

$90 \div 6 = 15$
60 30
먼저 십의 자리의 수를 6으로 나눌 수 있는 수만큼 갈라.

$92 \div 4 = 23$
80 12

$84 \div 7 = 12$
70 14

$78 \div 2 = 39$
60 18

3일 **나머지 없는 (두 자리 수)÷(한 자리 수)(3)** 십, 일의 자리 순서로 나누어 몫을 구해.

월   일

✚ 세로셈으로 나눗셈을 하세요.

$86 \div 2$

$$2)86 \Rightarrow 2)\overset{4}{86} \Rightarrow 2)\overset{43}{86}$$
8 ← 2×4
6
6 ← 2×3
0
0은 생략해.

86을 십의 자리부터
8에서 2는 4번 들어가요   4에서 2는 3번 들어가요
2로 나누어요

✚ 세로셈으로 나눗셈을 하세요.

$72 \div 2$

$$2)72 \Rightarrow 2)\overset{3}{72} \Rightarrow 2)\overset{36}{72}$$
6 ← 2×3
12
12 ← 2×6
0
0은 생략해.

13
3)39
3
0은 생략해.
9
9
0

21
2)42
4
2
2
0

20
4)80
8
0
0
0
0을 내려 써.

14
4)56
4
16
16
0
십의 자리의 수를 나누고 남은 수도 나중에 함께 꼭 나누어야 해.

27
3)81
6
21
21
0

18
5)90
5
40
40
0

나눗셈을 계산할 때 덧셈을 하는 친구들이 있어, 뺄셈이야!

32
3)96
9
6
6
0

11
7)77
7
7
7
0

30
2)60
6
0

26
3)78
6
18
18
0

47
2)94
8
14
14
0

15
4)60
4
20
20
0

36.3주   37

4일 **나머지 있는 (두 자리 수)÷(한 자리 수)(1)** 더 이상 나눌 수 없는 수가 나머지야.

✚ 세로셈으로 나눗셈을 하세요.

$25 \div 4$

$$4)25 \Rightarrow 4)\overset{6}{25}$$
24 ← 4×6
1 ← 나머지

25를 십의 자리 수부터 나누어야 해요.   일의 자리 수 5를 포함한 남은 수 25를 4로
그러나 2는 4로 나눌 수 없어요.   나누면 몫은 6, 나머지는 1이에요.

✚ 가로셈으로 나눗셈을 하세요.

$23 \div 3 = \boxed{7} \cdots \boxed{2}$ 몫 나머지

$40 \div 6 = \boxed{6} \cdots \boxed{4}$

$53 \div 9 = \boxed{5} \cdots \boxed{8}$

$34 \div 4 = \boxed{8} \cdots \boxed{2}$

나머지가 0일 때 나누어떨어진다고 해.

$48 \div 4 = 12$ 몫 12 나머지 0
(48은 4로 나누어떨어져요.)

8
5)42
40
2

5
6)34
30
4

2
7)20
14
6

✚ 표를 완성하고 밑줄 친 곳에 알맞은 말을 쓰세요.

$\boxed{} \div 4$

□	10	11	12	13	14	15	16	17
나머지	2	3	0	1	2	3	0	1

10 ÷ 4 → 2

6
2)13
12
1

7
4)30
28
2

5
8)45
40
5

$\boxed{} \div 5$

□	10	11	12	13	14	15	16	17
나머지	0	1	2	3	4	0	1	2

➡ 나머지는 나누는 수보다 항상   __작습니다__

38.3주   39

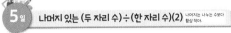

40쪽 · 41쪽

5일 나머지 있는 (두 자리 수)÷(한 자리 수)(2) 나머지는 나누는 수보다 항상 작아.   월   일

세로셈으로 나눗셈을 하세요.

$74 \div 3$

	2			2 4	
3) 7 4	3) 7 4		3) 7 4		
	6 0	← 3×2		6	
	1			1 4	
				1 2	← 3×4
				2	

십의 자리 자리 수부터 3으로 나누어요.
위에 3이 3번 들어가요.
남은 수 14에 3은 4번 들어가요.

```
    2 6
2) 5 3
    4
    1 3
    1 2
      1
```

```
    1 3
7) 9 5
    7
    2 5
    2 1
      4
```

```
    1 7
4) 7 0
    4
    3 0
    2 8
      2
```

```
    1 3
5) 6 8
    5
    1 8
    1 5
      3
```

```
    2 8
3) 8 5
    6
    2 5
    2 4
      1
```

```
    4 9
2) 9 9
    8
    1 9
    1 8
      1
```

가로셈으로 나눗셈을 하세요.   십, 일의 자리 순서로 나누어 계산해.

$57 \div 2 = \boxed{28} \cdots \boxed{1}$ $75 \div 4 = \boxed{18} \cdots \boxed{3}$
         몫   나머지

$83 \div 3 = \boxed{27} \cdots \boxed{2}$ $97 \div 8 = \boxed{12} \cdots \boxed{1}$

● ÷ ■의 몫은 몇 자리 수일까?

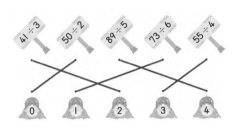

용	● > ■ 두 자리 수	● = ■ 두 자리 수	● < ■ 한 자리 수
예	31÷2=15…1	21÷2=10…1	11÷2=5…1

나눗셈의 나머지를 찾아 선으로 이으세요.

41÷3   50÷2   89÷5   73÷6   55÷4

0   1   2   3   4

40 3주   **41**

42쪽

✏ **확인 학습**

나눗셈을 하세요.

```
    2 4
2) 4 8
    4
    8
    8
    0
```

```
    1 6
5) 8 0
    5
    3 0
    3 0
    0
```

```
    2 8
3) 8 6
    6
    2 6
    2 4
      2
```

나눗셈을 하세요.

$90 \div 3 = \boxed{30}$ $85 \div 5 = \boxed{17}$

$49 \div 2 = \boxed{24} \cdots \boxed{1}$ $74 \div 4 = \boxed{18} \cdots \boxed{2}$

바르게 계산하세요.

```
    1 3
6) 8 3
    6
    2 0
    1 8
      2
```
→
```
    1 3
6) 8 3
    6
    2 3
    1 8
      5
```

```
    1 8
4) 7 7
    4
    3 7
    3 2
      5
```
→
```
    1 9
4) 7 7
    4
    3 7
    3 6
      1
```

42 3주

3주

10

4주: (세 자리 수)÷(한 자리 수)

1일 나머지 없는 (세 자리 수)÷(한 자리 수)
백, 십, 일의 자리 순서로 나누어 몫을 구해 봐.

월 일

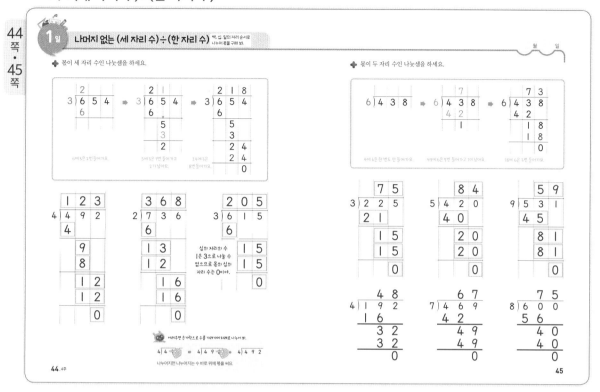

2일 나머지 있는 (세 자리 수)÷(한 자리 수)
나머지는 나누는 수보다 항상 작아.

월 일

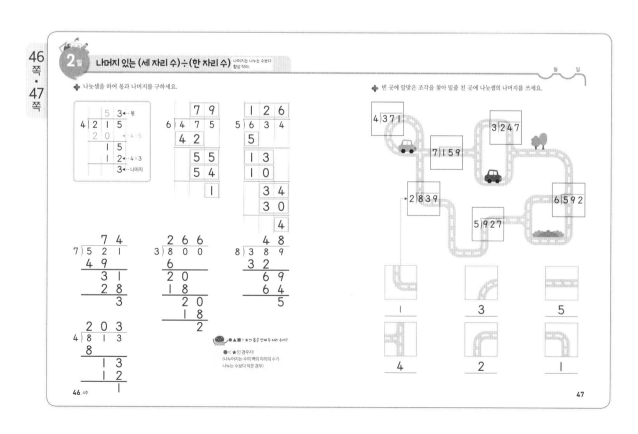

48쪽·49쪽

3일 (세 자리 수)÷(한 자리 수) 연습

(세 자리 수)÷(한 자리 수)까지는 가로셈도 잘할 수 있어야 해.

월   일

✚ 나머지가 없는 나눗셈을 하세요.

$720 \div 6 = \boxed{120}$ $168 \div 2 = \boxed{84}$

$343 \div 7 = \boxed{49}$ $825 \div 3 = \boxed{275}$

$812 \div 4 = \boxed{203}$ $504 \div 9 = \boxed{56}$

나누어지지 않을 때는
몫의 자리를
한 칸 내려서 생각해.

✚ 나머지가 있는 나눗셈을 하세요.

$326 \div 4 = \boxed{81} \cdots \boxed{2}$ $687 \div 8 = \boxed{85} \cdots \boxed{7}$
몫   나머지

$522 \div 7 = \boxed{74} \cdots \boxed{4}$ $768 \div 5 = \boxed{153} \cdots \boxed{3}$

$800 \div 9 = \boxed{88} \cdots \boxed{8}$ $923 \div 3 = \boxed{307} \cdots \boxed{2}$

✚ 6으로 나누어 몫이 가장 큰 물고기에 ◯표, 나머지가 가장 큰 물고기에 △표 하세요.

392   383   400   369

몫: 65, 나머지: 2   몫: 63, 나머지: 5
몫: 66, 나머지: 4   몫: 61, 나머지: 3

✚ 빈 곳에 알맞은 수를 쓰세요.

÷ 7	몫	나머지
469	67	0
470	67	1
471	67	2

÷ 4	몫	나머지
531	132	3
532	133	0
533	133	1

50쪽·51쪽

4일 나눗셈 검산

은 몫과 나머지를 맞게 구했는지 곱셈과 덧셈으로 확인하는 방법이야.

월   일

✚ 나눗셈식을 보고 검산식으로 바꾸어 쓰세요.

나머지가 없는 경우

$42 \div 3 = 14$
검산 $3 \times 14 = 42$

나누는 수와 몫을 곱하면
나누어지는 수가 나와.

$85 \div 5 = 17$
검산 $5 \times 17 = 85$

$576 \div 8 = 72$
검산 $8 \times 72 = 576$

$756 \div 6 = 126$
검산 $6 \times 126 = 756$

나머지가 있는 경우

$67 \div 4 = 16 \cdots 3$
검산 $4 \times 16 + 3 = 67$

$93 \div 7 = 13 \cdots 2$
검산 $7 \times 13 + 2 = 93$

$247 \div 3 = 82 \cdots 1$
검산 $3 \times 82 + 1 = 247$

$838 \div 6 = 139 \cdots 4$
검산 $6 \times 139 + 4 = 838$

✚ 나눗셈의 몫과 나머지를 알맞게 구한 것을 찾아 ◯표 하세요.

$96 \div 4 = 23$ 검산 $4 \times 23 = 92$

$92 \div 6 = 15 \cdots 4$ 검산 $6 \times 15 + 4 = 94$

$400 \div 3 = 133 \cdots 2$ 검산 $3 \times 133 + 2 = 401$

$612 \div 7 = 87 \cdots 3$ 검산 $7 \times 87 + 3 = 612$

✚ 나눗셈의 몫과 나머지를 구하고 검산하세요.

$50 \div 6 = \boxed{8} \cdots \boxed{2}$ $429 \div 8 = \boxed{53} \cdots \boxed{5}$
검산 $6 \times 8 + 2 = 50$ 검산 $8 \times 53 + 5 = 429$

$305 \div 7 = \boxed{43} \cdots \boxed{4}$
검산 $7 \times 43 + 4 = 305$

검산할 때 수들의 관계를 잘 알아야 돼.
$● \div ▲ = ■ \cdots ★$
검산 $▲ \times ■ + ★ = ●$

12

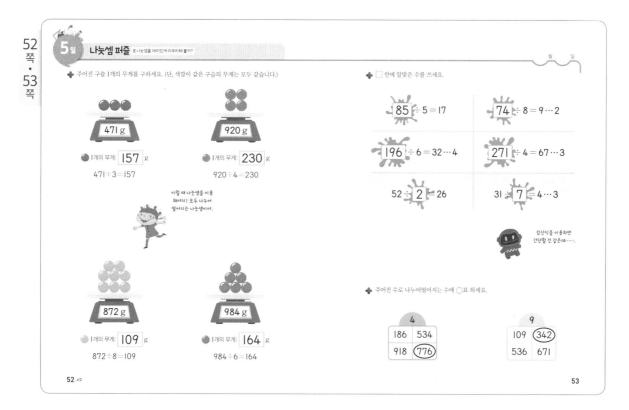

5일 **나눗셈 퍼즐** 로 나눗셈을 재미있게 마무리해 볼까?

월 일

+ 주어진 구슬 1개의 무게를 구하세요. (단, 색깔이 같은 구슬의 무게는 모두 같습니다.)

471 g

● 1개의 무게: **157** g

471÷3=157

이렇게 때 나눗셈을 이용
해야지! 모두 나누어
떨어지는 나눗셈이야.

920 g

● 1개의 무게: **230** g

920÷4=230

872 g

● 1개의 무게: **109** g

872÷8=109

984 g

● 1개의 무게: **164** g

984÷6=164

+ □안에 알맞은 수를 쓰세요.

85 ÷ 5 = 17

74 ÷ 8 = 9 … 2

196 ÷ 6 = 32 … 4

271 ÷ 4 = 67 … 3

52 ÷ **2** = 26

31 ÷ **7** = 4 … 3

검산식을 이용하면
간단할 것 같은데……

+ 주어진 수로 나누어떨어지는 수에 ○표 하세요.

4	
186	534
918	(776)

9	
109	(342)
536	671

52 4주

53

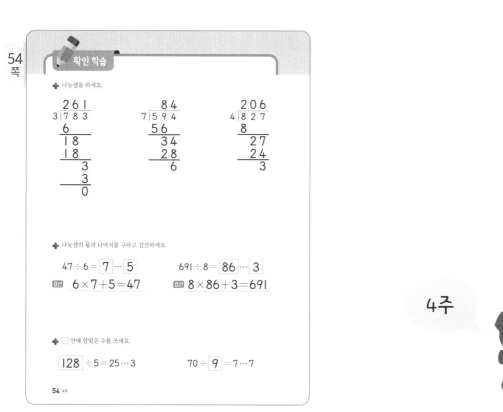

✏️ **확인 학습**

+ 나눗셈을 하세요.

```
    2 6 1
3 ) 7 8 3
    6
    1 8
    1 8
      3
      3
      0
```

```
      8 4
7 ) 5 9 4
    5 6
    3 4
    2 8
      6
```

```
    2 0 6
4 ) 8 2 7
    8
    2 7
    2 4
      3
```

+ 나눗셈의 몫과 나머지를 구하고 검산하세요.

47÷6= **7** … **5**

검산 6×7+5=47

691÷8= **86** … **3**

검산 8×86+3=691

+ □안에 알맞은 수를 쓰세요.

128 ÷5=25…3

70÷ **9** =7…7

54 4주

4주

정답

마무리 평가

1회 마무리 평가

제한 시간 5분 | 맞은 개수 /12개

곱셈을 하세요.

① $7 \times 3 = 21$
$70 \times 3 = 210$
$700 \times 3 = 2100$

② $8 \times 12 = 96$
$80 \times 12 = 960$

나눗셈을 하세요.

⑥ $90 \div 3 = 30$

⑦ $52 \div 4 = 13$

⑧ $84 \div 3 = 28$

⑨ $80 \div 4 = 20$

관계있는 것끼리 선으로 이으세요.

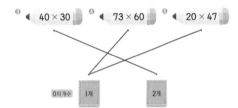

③ ◀ 40×30 ④ ◀ 73×60 ⑤ ◀ 20×47

0의 개수 1개   2개

나눗셈을 하세요.

⑩
```
    9 6
6 ) 5 7 6
    5 4
      3 6
      3 6
        0
```

⑪
```
    1 6 3
3 ) 4 8 9
    3
    1 8
    1 8
        9
        9
        0
```

⑫
```
    9 5
8 ) 7 6 3
    7 2
      4 3
      4 0
        3
```

2회 마무리 평가

제한 시간 5분 | 맞은 개수 /9개

곱셈을 하세요.

①
```
    6 0 0
×       4
  2 4 0 0
```

②
```
    1 8 2
×       3
    5 4 6
```

③ $241 \times 4 = 964$

④ $879 \times 2 = 1758$

빈칸에 알맞은 수를 써넣어 나눗셈을 하세요.

⑦ $96 \div 8 = 12$
$80 \div 8 = 10$
$16 \div 8 = 2$

⑧ $75 \div 3 = 25$
$60 \div 3 = 20$
$15 \div 3 = 5$

빈칸에 알맞은 수를 써넣어 곱셈을 하세요.

⑤ $32 \times 13 = 416$
$32 \times 10 = 320$
$32 \times 3 = 96$

⑥ $57 \times 64 = 3648$
$57 \times 60 = 3420$
$57 \times 4 = 228$

7로 나누어 몫이 가장 큰 물고기에 ○표, 나머지가 가장 큰 물고기에 △표 하세요.

⑨

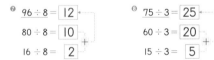

÷7

431   △425   ○435
몫: 61, 나머지: 4   몫: 60, 나머지: 5   몫: 62, 나머지: 1

14

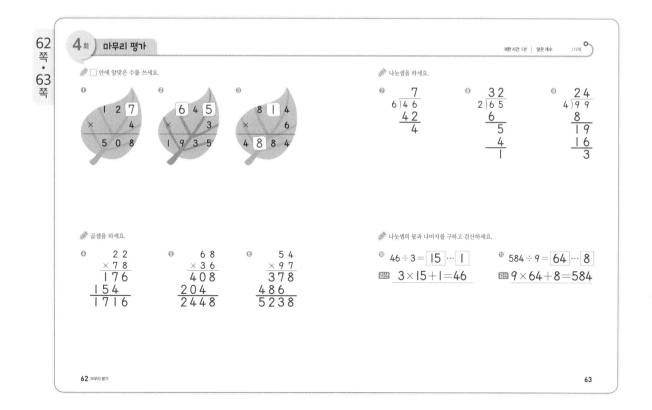

3회 마무리 평가

제한 시간 5분 | 맞은 개수 · / 12개

✏️ 곱셈을 하세요.

①
```
  2 9 3
×     4
1 1 7 2
```

②
```
  3 2 1
×     9
2 8 8 9
```

③ 168 × 2 = 336

④ 507 × 8 = 4056

✏️ 나눗셈을 하세요.

⑧
```
      4 0
2 ) 8 0
    8 0
        0
```

⑨
```
      1 2
7 ) 8 4
    7
    1 4
    1 4
        0
```

⑩
```
      1 8
5 ) 9 4
    5
    4 4
    4 0
        4
```

✏️ 곱셈을 하세요.

⑤
```
  1 3
× 2 1
  1 3
2 6
2 7 3
```

⑥
```
  4 2
× 1 4
1 6 8
4 2
5 8 8
```

⑦
```
  5 2
× 3 9
4 6 8
1 5 6
2 0 2 8
```

✏️ 빈 곳에 알맞은 수를 쓰세요.

⑪ ÷ 6 / 몫 / 나머지

	몫	나머지
568	94	4
569	94	5
570	95	0

⑫ ÷ 8 / 몫 / 나머지

	몫	나머지
305	38	1
304	38	0
303	37	7

4회 마무리 평가

제한 시간 5분 | 맞은 개수 · / 11개

✏️ ☐ 안에 알맞은 수를 쓰세요.

①
```
  1 2 7
×     4
5 0 8
```

②
```
  6 4 5
×     3
1 9 3 5
```

③
```
  8 1 4
×     6
4 8 8 4
```

✏️ 나눗셈을 하세요.

⑦
```
      7
6 ) 4 6
    4 2
    4
```

⑧
```
      3 2
2 ) 6 5
    6
    5
    4
    1
```

⑨
```
      2 4
4 ) 9 9
    8
    1 9
    1 6
    3
```

✏️ 곱셈을 하세요.

④
```
  2 2
× 7 8
1 7 6
1 5 4
1 7 1 6
```

⑤
```
  6 8
× 3 6
4 0 8
2 0 4
2 4 4 8
```

⑥
```
  5 4
× 9 7
3 7 8
4 8 6
5 2 3 8
```

✏️ 나눗셈의 몫과 나머지를 구하고 검산하세요.

⑩ 46 ÷ 3 = 15 ··· 1
검산 3 × 15 + 1 = 46

⑪ 584 ÷ 9 = 64 ··· 8
검산 9 × 64 + 8 = 584

64 쪽 · 65 쪽

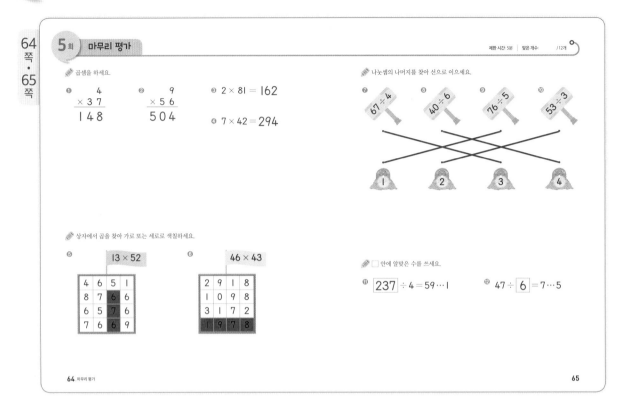

5회 마무리 평가

제한 시간 5분 | 맞은 개수: /12개

✏️ 곱셈을 하세요.

① 4
× 3 7
1 4 8

② 9
× 5 6
5 0 4

③ 2 × 81 = 162

④ 7 × 42 = 294

✏️ 나눗셈의 나머지를 찾아 선으로 이으세요.

⑦ 67 ÷ 4 ⑧ 40 ÷ 6 ⑨ 76 ÷ 5 ⑩ 53 ÷ 3

1 2 3 4

✏️ 상자에서 곱을 찾아 가로 또는 세로로 색칠하세요.

⑤ 13 × 52

4	6	5	1
8	7	6	6
6	5	7	6
7	6	6	9

⑥ 46 × 43

2	9	1	8
1	0	9	8
3	1	7	2
1	9	7	8

✏️ □ 안에 알맞은 수를 쓰세요.

⑪ 237 ÷ 4 = 59 … 1

⑫ 47 ÷ 6 = 7 … 5

64 마무리 평가

65

실력 평가

68 쪽

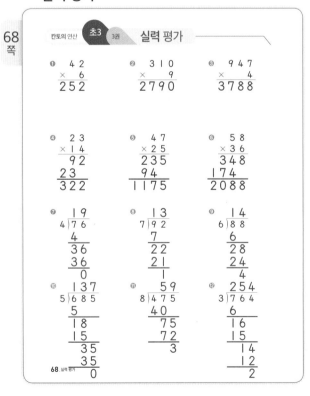

칸토의 연산 초3 3권 **실력 평가**

① 4 2
× 6
2 5 2

② 3 1 0
× 9
2 7 9 0

③ 9 4 7
× 4
3 7 8 8

④ 2 3
× 1 4
9 2
2 3
3 2 2

⑤ 4 7
× 2 5
2 3 5
9 4
1 1 7 5

⑥ 5 8
× 3 6
3 4 8
1 7 4
2 0 8 8

⑦ 1 9
4)7 6
4
3 6
3 6
0

⑧ 1 3
7)9 2
7
2 2
2 1
1

⑨ 1 4
6)8 8
6
2 8
2 4
4

⑩ 1 3 7
5)6 8 5
5
1 8
1 5
3 5
3 5
0

⑪ 5 9
8)4 7 5
4 0
7 5
7 2
3

⑫ 2 5 4
3)7 6 4
6
1 6
1 5
1 4
1 2
2

68 실력 평가

16

The essence of mathematics lies in its freedom.

수학의 본질은 그 자유로움에 있다.

Georg Cantor(1845~1918)

모 델 명 : 칸토의 연산

제조년월 : 2023년 7월 | 제조자명 : ㈜씨투엠에듀

주소 및 전화번호 : 경기도 수원시 장안구 파장로 7(태영빌딩 3층) / 031-548-1191

제조국명 : 한국 | 사용연령 : 만 3세 이상

홈페이지 : www.c2medu.co.kr | 지원카페 : cafe.naver.com/fieldsm

상자를 열어 수학을 가져라!

초등수학교구상자

교과서 문제는 기본, 영재원 문제까지 완벽 해결

**도형 뒤집기!
돌리기! 붙이기!**

❶ 펜토미노 턴

**쌓기나무와 소마큐브
집중탐구**

❷ 큐브빌드

**덧셈, 뺄셈에서
곱셈과 나눗셈까지!**

❸ 머긴스빙고

아이들이 가장 어려워하는 초등 교과 단원을 수학교구로 재미있고 쉽게 조작하고 놀며 수학의 개념과 원리를 익힐 수 있어요.

**입체조각을 뒤집고,
돌리며, 쌓아가며!**

❹ 폴리스퀘어

**연산 원리와
감각을 한 번에**

❺ 트랜스넘버

**전개도를
접었다 펼쳤다!**

❻ 큐보이드

**칠교 퍼즐의 변신
입체 칠교**

❼ 폴리탄

씨투엠이 만들면 기준이 됩니다!